BYW
BETHAN

Bethan Gwanas

Argraffiad Cyntaf—2002

ISBN 1 84323 087 9

(h) Bethan Gwanas

Dymuna'r cyhoeddwyr gydnabod cymorth
Adrannau Cyngor Llyfrau Cymru.

Llun y clawr: Carys Williams.

Argraffwyd gan
Wasg Gomer, Llandysul, Ceredigion, Cymru

BYD BETHAN

I
Nain
(Annie Meirion Evans)

RHAGAIR

Mi ges i flas ar sgwennu colofn pan fues i'n cyfrannu cwynion 'Athrawes Despret' i *Golwg* flynyddoedd yn ôl, ond roedd hwnnw'n ddienw ac ro'n i'n gorfod hepgor unrhyw gyfeiriadau fyddai'n ei gwneud hi'n rhy amlwg mai fi oedd wrthi. Felly pan ffoniodd Tudur Huws Jones, golygydd *Yr Herald*, yn gofyn i mi sgwennu colofn yn fy enw fy hun, ro'n i wedi mopio. Mae 'na rywbeth braf iawn am allu bwrw mol yn wythnosol. Bron nad ydi o'n therapi. Dwi'n gallu gweld pethau'n gliriach os ydw i'n eu sgwennu nhw i lawr, am ryw reswm. A phan fydd pobol yn ymateb, boed mewn llythyr neu ar y stryd, mae'n brafiach fyth.

Dwi'n sgwennu'n 'syml' meddan nhw, felly mae'n debyg fod tiwtoriaid Cymraeg ardal *Yr Herald* wedi bod yn defnyddio'r colofnau hyn gyda'u dysgwyr. Mi soniodd amryw pa mor ddefnyddiol fyddai cyfrol yn cynnwys detholiad ohonyn nhw, felly mi soniais i wrth Bethan Mair, un o olygyddion Gwasg Gomer, a dyma'r canlyniad.

Cyhoeddwyd y golofn gyntaf ar Orffennaf 3ydd, 1999, a hyd yma, dwi'n dal wrthi. Felly diolch i bawb sydd wedi rhoi deunydd colofnau i mi, diolch i'r ffrindau sydd ddim yn cwyno gormod am gael eu hanesion yn y papur, a diolch i Tudur Huws Jones am ofyn yn y lle cyntaf. O, a diolch i bawb sy'n prynu'r *Herald* wrth gwrs. Heb y papur, fyddai 'na ddim colofnau.

1

'Nôl yn 1990, mi wnes i benderfynu gadael swydd efo'r BBC, i ddilyn cwrs ymarfer dysgu. Roedd pawb yn meddwl mod i'n hurt bost yn gwneud ffasiwn beth. Bosib iawn; wedi cael llond bol ar swydd sy'n ymddangos mor bwysig a 'glamorous' i'r gymdeithas Gymraeg ro'n i, a finna'n gwybod yn iawn mai dim ond diddanu oeddan ni, jest rhoi awr neu ddwy o adloniant rhad. Oedd, roedd o'n grêt i ddechra: cyflog da, hwyl yng nghwmni pobl fywiog a chreadigol, pleser o gynhyrchu rhaglenni oedd yn boblogaidd, a phobl yn dod atoch chi i ddeud: 'Ew, 'nes i fwynhau peth a peth wsnos dwytha – oeddech chi rwbath i neud efo fo, doeddech?' Ond buan y pylodd y mwynhad. Ro'n i wedi deud erioed na fyddwn i byth bythoedd yn mynd i ddysgu, ond roedd fy chwaer yn athrawes, ac roedd gwrando arni'n sôn am y pleser roedd hi'n ei gael o ddysgu, a gweld y mwynhad amlwg yn llygaid ei disgyblion hi, yn enwedig y rhai oedd angen help, yn ysgytwad.

Mi gofies i am y wefr ro'n i'n ei gael o fod yn nosbarth fy athro Ffrangeg yn Ysgol y Gader, Mr King o Flaenau Ffestiniog, un o'r athrawon gorau ges i 'rioed. Byddai'n rhoi gymaint i mewn i'w wersi, roedd 'na gylchoedd mawr o chwys dan ei geseiliau erbyn 9.30. Roedd o'n un o'r athrawon 'ma sy'n gallu ysbrydoli rhywun go iawn. Ocê, ella na chafodd o'r un effaith ar yr hogia oedd jest isio

Gyda bechgyn fy nosbarth Ffrangeg ar Ymarfer Dysgu yn ysgol Dyffryn Conwy.

mynd adre i ffarmio, ond mi gafodd ddigon o ddylanwad arna i i wneud i mi fod isio astudio Ffrangeg yn y coleg. Felly dyma fi'n penderfynu mod inna bellach, yn 27 oed, am drio gwneud gwahaniaeth go iawn i fywyd rhywun. Ond roedd 'na un broblem. Doedd gen i ddim lefel 'O' mathemateg. Fues i 'rioed yn un am syms; fyddai hyd yn oed Mr King ddim wedi gallu gwneud i algebra glicio'n fy mhen i. Dim problem, meddai'r coleg, gewch chi drio fo eto. Do'n i ddim yn poeni'n ormodol am y peth – roeddwn i'n hŷn ac yn gallach ac yn gallu gweithio allan faint o'r gloch fyddai'n rhaid dechrau chwarae record fel ei bod yn gorffen jest cyn y pips; a dyma roi fy notis i mewn i'r Gorfforaeth. Ond mi fethais yr arholiad. Ddeudis i mod i'm yn un am syms. Siom? Does ganddoch chi'm syniad! Bu'n haf hir a phoenus. Ond wedi

10

crio bwcedi, ges i roi cynnig arall arni, a chael
ffrindiau da i roi gwersi i mi a benthyg protractors a
ballu. Mi wnes i basio – jest mewn pryd.

Rhwng mis Medi 1990 a mis Gorffennaf '91 oedd
y flwyddyn fwya gwefreiddiol eto, ond y galeta
hefyd o ran gwaith caled, cyson. Roedden ni'n cael
amser yn y coleg i baratoi stwff ar gyfer dysgu, a dau
gyfnod o ymarfer mewn ysgolion. Dyna i chi be oedd
addysg, ond mi wnes i fwynhau bob munud. Ac mi
ro'n i'n cael grant go dda hefyd. Wedyn ges i dair
blynedd caled ond bendigedig o ddysgu, a mwynhau
troi yng nghwmni pobl oedd â'u traed ar y ddaear, ac
yn gweithio'u gyts allan ac yn haeddu pob ceiniog
o'u cyflog (wel, y rhan fwya ohonyn nhw, ta). Oedd,
roedd 'na waith papur di-ddiwedd, ac adegau pan o'n
i isio sgrechian, ond roedd y dysgu yn bleser, a iawn,
dwi'n derbyn nad ydw i'n dysgu bellach, ond dwi'n
bwriadu mynd 'nôl unwaith ga i'r busnes sgwennu
'ma allan o fy system.

Ond dwi hefyd yn dallt yn iawn pam fod pobl
ddim am fynd i ddysgu bellach:

1. Does 'na'm grantiau call – rhywbeth oedd
   yn angenrheidiol i fyfyrwraig hŷn fel fi,
   oedd â morgais a char ar HP, felly pa obaith
   sy 'na i bobl sydd â theuluoedd i'w cynnal?
2. Mae'r cyrsiau dysgu wedi newid, a 'chydig
   iawn o amser sydd 'na bellach i baratoi
   stwff yn y coleg cyn wynebu dosbarth sy'n
   ysu am waed 'y stiwdant'.

11

3. Tydi'r cyflog ddim yn ddigon da.
4. Tydi cymdeithas ddim yn parchu athrawon chwarter digon.

Dwi ddim yn credu y dylai pobl fynd yn syth o goleg i ddysgu, beth bynnag; mi fyddai'n gwneud lles i bawb petaen nhw'n cymryd blwyddyn neu ddwy i flasu'r byd mawr tu allan, ac yna, mynd ar gwrs ymarfer dysgu – a chael tâl am wneud hynny.

Felly, os ydi'r llywodraeth a chymdeithas am i blant gael athrawon dawnus, cymwys, mae angen ailedrych ar y pedwar pwynt uchod. O – a tra dwi wrthi – tydi'r ffaith fod rhywun yn methu gwneud pen na chynffon o hafaliaid cydamserol (*simultaneous equations* i'r sawl wnaeth *Maths in English*) ddim yn golygu na fedrwch chi ddysgu, ocê!

2

Allwn i byth fod fel Sian Lloyd, wastad ar alwad y tynwyr lluniau. Ond fues i 'rioed, a fydda i byth, yn un am wisgo i fyny ac ymbincio ryw lawer. Mam druan, roedd hi wedi breuddwydio am gael llwyth o blant bach del efo gwallt melyn a choesau hirion. Mi gafodd ei dymuniad efo'r tri arall, ond fi ddoth gynta. Arni hi oedd y bai – mi gafodd un o'r dyheadau dynes feichiog 'na tra oedd hi'n fy ngharo i – am *Weetabix*. Ro'n i'n edrych fel

Winston Churchill. Lwmp mawr bochdew a hynod, hynod iach oedd yn bwyta bob dim. Ges i wallt melyn, ond mi drodd hwnnw'n lliw dŵr golchi sosbenni pan o'n i tua deg. Dwi'n cofio ffarmwr lleol yn gofyn i Mam: 'Dow, be ddigwyddodd i wallt melyn Bethan?' 'Dwi'm yn siŵr,' atebodd Mam. Crafodd yr hen wr ei ên yn araf: 'Ond mi eith hi'n felyn eto, reit siŵr i chi.' Roedd o'n iawn wrth gwrs. Dwi'n cofio hynna bob tro dwi'n gwneud fy ngwreiddiau.

Ac mi wrthodais i gropian cyn dysgu cerdded, ac mae Mam yn mynnu mai dyna pam fod fy mhengliniau i mor ddi-siâp. Mi gafodd y tri arall goesau siapus, hirfaith a phengliniau normal; mae gan fy mrawd – a hyd yn oed fy nhad – goesau gwell na fi. O wel, o leia dwi wedi cael blynyddoedd i ddod i arfer efo'r peth, a thra parodd fy mhen-glin chwith, ro'n i'n eitha sbrintar, a dyna oedd yn bwysig i domboi.

A does 'na 'run tomboi gwerth ei halen yn gwisgo sgert. Mi ges i gyfnod hir o wrthod mynd i briodasau oni bai mod i'n cael gwisgo trowsus, ac ro'n i'n bell ar ôl pawb arall yn dysgu sut i wisgo colur. Doedd o jest ddim yn bwysig i mi – nes i mi ddechrau prynu *Jackie* a sylweddoli fod 'na fwy o hwyl i'w gael efo bechgyn na'u dyrnu nhw. Roedd hogia Brithdir, ein pentre ni, yn bethau bach digon tila, yn dda i ddim am ddringo coed a byth isio rhedeg ras yn f'erbyn i, ond roedd 'na hogia digon del a chyhyrog yn Rhydymain. Mi nath Mam wnïo pâr o hotpants i mi, a dyna pryd ddechreuais i sylwi fod dringo coed yn rhoi'r cleisiau a'r sgriffiadau a'r crachod mwya annymunol i rywun. Wedyn es i lawr dre ar fy meic Raleigh i brynu *eye-shadow* gwyrdd golau. Roedd o'n mynd yn grêt efo'r *bell-bottoms* pinc a phiws ges i'n y Ffair. Ew, ro'n i'n meddwl mod i'n ddel. Mae gen i lygaid eitha mawr fel mae hi, a chloriau llygaid (dyna ydi *eyelids* yn ôl geiriadur Bruce) anferthol, felly efo haen dew o wyrdd llachar, ro'n i'n edrych fel tylluan efo'r ffliw.

Dwi'n dal heb feistroli'r dechneg yn iawn. Felly, pan enillodd fy ffrind Bethan (enw coman tydi?) gystadleuaeth i gael *Makeover & photo shoot* mewn lle crand ym Manceinion, a phris arbennig i ffrind, mi es efo hi. Roedd o'n swnio'n fendigedig: merch golur brofiadol yn ymgynghori gyda chi cyn gwneud i chi edrych fel seren, gwneud eich gwallt a phob dim; ffotograffwyr yn tynnu lluniau lu ohonoch chi'n stoncar llwyr, a *relaxing facial* i orffen. Roeddan ni'n dwy wedi cynhyrfu'n rhacs.

Roedd yr adeilad yn edrych yn smart iawn, a lluniau anferthol o bobl mewn boas plu dros y waliau. Edrychodd Bethan a minnau ar ein gilydd. Boas plu? Howld on, Defi John. Ond cyn pen dim, roeddan ni'n cael ein hel i fyny'r grisiau, ac mi gafodd Bethan ei gwthio i'r chwith a minnau i'r dde, heb air o eglurhad. Ro'n i mewn stafell gymharol fechan, oedd wedi ei gwahanu gan nifer o sgriniau tila. Roedd 'na ferched yn pôsio mewn sgwariau bychain, ac amrywiol bobl mewn du a chamerâu mawrion yn fflachio arnyn nhw. Stiwdio foethus? Roedd o'n debycach i ffatri. Ges i fy hel i gadair heb ddrych o mlaen, a golau llachar yn fy llygaid oedd fel rhywbeth allan o ffilm Gestapo. Gafaelodd Mandy neu Trudy neu rywun yn fy ngwallt a dechrau rhoi rollers mawr poeth ynddo: '*Just to give you some body.*'

A dyma hi'n gofyn i mi sut o'n i am edrych. 'Mor naturiol â phosib,' medda fi – yn uchel, cyn setlo'n ôl i gael fy sbwylio. Fel arfer, pan fydd rhywun yn trin fy ngwallt neu'n rhoi colur arna i, dwi'n agos iawn at syrthio i drwmgwsg pleserus. Ond roedd hon ar frys. Ges i mhwnio a nyrnu efo *foundation.* Roedd y brwsh mascara yn fy llygaid yn arteithiol o boenus, ac allwn i'm gweld yn iawn am funudau wedyn. Bu bron i mi dagu ar y powdr oedd yn cael ei rawio i fyny nhrwyn. Rhwygwyd y rolars allan. '*There you are – gorgeous!*' mewiodd Mandy/Trudy. Rhoddodd ddrych bychan yn fy llaw. Jest i mi sgrechian. Roedd fy ngwallt yn gyrls mawr, afiach, fy nghroen yn gacen o bowdr gwyn, traffordd ddu drwchus o amgylch fy llygaid a cheg fel tomato; ro'n i'n edrych fel Barbara Cartland. Awgrymais yn swil ei fod yn ormod. Ond ges i fy sicrhau y byddai'n edrych yn hyfryd yn y lluniau, h.y: doedd gen i'm dewis. Wedyn ges i fy ngosod mewn pôsus annaturiol, gwirion gan ryw bloncar o dynnwr lluniau oedd wedi gweld gormod o ffilmiau amheus. Roedd ganddyn nhw stoc o bôsus, a glynu at rheiny oedd raid. Ar ôl chwarter awr, ges i roi

15

Y llun glamyrys!

ngwallt i fyny – wel, peth ohono fo, a thongs yn y
darnau oedd yn hongian i lawr. Ges i weld fy hun
yn y drych, ac mi geisiais beidio marw chwerthin.
Am olwg, ond mi wnes i chwarae'r gêm er mwyn
cael llonydd.

Daeth yr artaith i ben. O'r diwedd roedd hi'n
amser tynnu'r concrit a chael y *relaxing facial*. Ges

i ddau wad o *baby lotion* ar wlân cotwm yn fy wyneb a fy hel i'r cyntedd. Es i chwilio am le chwech, lle roedd 'na ddrych call. Wrth lwc, roedd 'na sebon yno. Mi gymerodd ugain munud i mi edrych fel fi fy hun unwaith eto.

Roedd Bethan wedi cael yr un profiad, ond ar ôl gwydraid o win wrth aros i weld y lluniau, roedden ni'n gweld y peth reit ddigri. Yn anffodus, rhowlio chwerthin wnaethon ni wrth weld y lluniau hefyd. Efo'r *soft focus* a'r cyrls, y cegau fflamgoch a'r pileri Groegaidd yn y cefndir, roedden ni'n dwy yn edrych yn wirion bost. Doedd y ddynes ddim yn hapus. Be oedd o'i le? Doedd neb erioed wedi ymateb fel hyn o'r blaen.

'Tydan ni jest ddim yn edrych fel ni'n hunain,' ceisiais egluro'n ddiplomataidd.

'Wel! Dod yma i edrych yn wahanol – yn brydferth – mae pawb arall!' meddai hi'n snotllyd. Aeth ymlaen i awgrymu'n gynnil ei bod hi'n amhosib gwneud gwyrthiau. O? Felly wir? Dallt yn iawn, y gnawes. A phan glywson ni bris y lluniau, cafwyd ffit arall. Ond mi brynais i un llun bychan gan ein bod ni wedi mynd i'r holl drafferth. Am £57.95! Aethon ni i flwch lluniau yn y stesion wedyn a chael pedwar llun ganwaith gwell am ddwybunt.

Rois i'r llun i Mam am jôc – a goeliwch chi byth – mae hi wrth ei bodd efo fo. Merch fel'na roedd hi isio. Mae 'na wers yn fan'na rywle, ond dwi'm yn hollol siŵr be ydi hi.

3

Mae 'na rai straeon newyddion fydd yn aros yn y co' am byth; marwolaeth arlywydd neu dywysoges, er enghraifft, ond wsnos diwetha, ges i fy sobri'n llonydd gan y newyddion am deulu yn gwrthod rhoi organau eu perthynas marw i berson croenddu.

Ges i fy llorio. Mae'r oblygiadau'n ddychrynllyd. Rhoi caniatâd i unrhyw un gwyn gael byw, ond gwrthod pobl dduon – yn llwyr – dim ond oherwydd fod lliw eu croen yn wahanol. Dim rheswm arall. Beth pe bai'r esgid ar y droed arall: eu plentyn nhw sy'n ymladd am ei fywyd – fydden nhw hefyd yn gwrthod gadael iddo fo dderbyn calon rhywun du? Gwell angau na chalon 'dywyll'? Oni bai fod y sefyllfa mor drist, mi fyddai'n chwerthinllyd. Ac allwch chi ddim peidio ag ymestyn yr ystyriaethau: Be? Gwrthod plentyn diniwed, croenddu a derbyn llofrudd neu dreisiwr gwyn? A be nesa? Gwrthod pobl oherwydd eu daliadau gwleidyddol/iaith/beth bynnag 'dach chi'n ei gasáu? 'Does 'na 'run Tori/Sais/gyrrwr meddw yn cael fy aren i.' Mi fydda i'n sicr yn dilyn trafodaethau'r byd meddygol ar hyn.

Mae'r busnes hiliaeth yma wedi mhoeni i ers blynyddoedd, a dwi wedi bod yn gwneud fy ngorau i gofio pryd ddois i'n ymwybodol ohono fo gynta. Trip ysgol i Steddfod Llangollen pan o'n i tua deuddeg, dwi'm yn amau. Dwi'n cofio syllu ar ddyn du yn cerdded heibio mewn siwt. Ro'n i wedi

gweld bobl brown o'r blaen, ond roedd hwn yn ddu
go iawn. Mae'n rhaid ei fod wedi sylwi, a daeth ata
fi gan godi llawes ei grys a deud rhywbeth fel
'Tyrd, cyffyrdda nghroen i,' ac mi wnes, er mod i
wedi dychryn ac un o'm ffrindiau am redeg i
ffwrdd. 'Sut mae o'n teimlo?' gofynnodd. 'Iawn,'
atebais yn onest, ac mi wenodd. Fe welson ni lwyth
o bethau difyr a lliwgar y diwrnod hwnnw, ond y
sgwrs gyda'r dyn afieithus yma sy'n aros yn fy
ngho' i. 'Cofiwch rŵan,' meddai wrth ffarwelio,
'dwi jest fel chi.'

Ia, ond tydan ni'r Cymry ddim yn hiliol nac'dan?
Calliwch a byddwch yn onest. Dwi'n gwybod ein
bod ni'n genedl hynod hiliol. Dwi wedi clywed
Cymry glân gloyw ac addysgiedig yn gwneud jôcs
hyll am nigars a Sambos mewn tafarndai, a phawb
yn rhowlio chwerthin, ac athrawon yn dweud
pethau mor hiliol yn y stafell athrawon, ro'n i bron
â thagu; dwi'n gwybod am wragedd fferm sy'n
dweud yn gwbl blaen eu bod yn croesi'r stryd er
mwyn osgoi dod wyneb yn wyneb â dyn du; a dwi
wedi gweld gyda fy llygaid fy hun deulu o bobl
croenddu yn mynd mewn i salon torri gwallt mewn
tref Gymreig yng ngogledd Cymru i ofyn am trims,
a chael eu gwrthod. Esgus y rheolwraig oedd eu bod
yn rhy brysur. Edrychodd pawb arni'n syn. Roedd y
lle fwy neu lai yn wag. Roedd y neges yn amlwg;
nodiodd y tad ei ben yn fonheddig a cherdded allan
yn dawel. Trodd y rheolwraig at ei chydweithwyr:

'Ych, dwi'm yn pasa cyffwrdd blaen 'y mysedd

ynddyn nhw, damia nhw.' Ro'n i'n corddi, ond ddywedais i 'run gair. A hyd heddiw, dwi'n cicio fy hun.

Mae hi mor hawdd bod yn hunangyfiawn am y pethau 'ma yntydi? Digon hawdd ydi gwaredu o bell. Ond faint ohonoch chi fyddai'n cwyno pe bai teulu croenddu yn symud drws nesa? Faint ohonoch chi sy'n croesi'r stryd heb feddwl? Neu'n gafael yn dynn yn eich bag wrth basio?

Dwi'n gobeithio mai rhywbeth sy'n perthyn i'r genhedlaeth hŷn yn unig ydi hyn, traddodiad o drin pobl groenddu fel bodau cwbl ar wahân i ni, oherwydd diffyg gwybodaeth. Doeddech chi byth yn gweld bobl dduon ers talwm, ac wedi eich magu ar straeon am yr anwariaid gwyllt o'r jyngl. Ond siawns na chafodd *Roots* effaith arnoch chi? 'Dach chi'm yn cofio beichio crio dros Kunta Kinte a Chicken George? Gawsoch chi mo'ch swyno gan lais a phersonoliaeth Paul Robeson? Oni fyddech chi wedi rhoi'r byd am gael ysgwyd ei law? Oes 'na unrhyw un call sydd ddim yn credu fod Martin Luther King yn un o ddynion mwyaf y ganrif? A be am Nelson Mandela? Fyddech chi'n croesi'r stryd i'w osgoi o?

Onid oeddech chi'n falch o atgoffa Saeson mai Cymraes ydi Shirley Bassey? Pwy sydd ddim yn neidio mewn gorfoledd o weld Colin Jackson a Jamie Baulch yn ennill medalau i Gymru? Ond dwi'n gwybod fod y gwirionedd yn hynod drist. Mae gormod ohonom yn dal i ddweud: 'Pa hawl

sydd ganddyn nhw i alw eu hunain yn Gymry?
Fedar dyn du ddim bod yn Gymro siŵr iawn.' Ac
nid dychmygu yr ydw i – dwi wedi cael y ffrae yma
gyda phobl sy'n galw eu hunain yn 'wâr,' a na,
doedden nhw ddim yn tynnu coes.

Roedd 'na raglen ddifyr iawn ar Radio Cymru yn
ddiweddar (oes, mae 'na ambell un): *Manylu*, a'r
testun oedd Cymry croenddu. Mi stopiais y car i
wrando ar y cwbl mewn cilfach barcio*. Pobl oedd
wedi eu magu o'r crud yn Gymry Cymraeg, eraill
wedi mynd ati i ddysgu oherwydd fod ganddyn nhw
barch at ddiwylliant a iaith y wlad roedden nhw'n
byw ynddi. Roedden nhw i gyd yn unfryd: mae'r
Cymry gwyn yn synnu eu clywed yn siarad
Cymraeg, a rhai hyd yn oed yn dal dig yn eu herbyn
am feiddio gwneud y fath beth.

Mae'n bosib mai rhywbeth dros dro fydd hyn, y
bydd y cenedlaethau i ddod yn derbyn a chroesawu
pobl groenddu fel cyd-ddinasyddion Cymraeg.
Dwi'n gobeithio hynny o waelod fy nghalon. Ond
dwi'n cofio mynd i ysgol gynradd ym Meirionnydd
rai blynyddoedd yn ôl, i sôn wrth y plant am fy
mhrofiadau gyda VSO yn Nigeria. Gwrandawodd
pawb yn astud, a gwirioni efo'r lluniau a'r
trugareddau oedd gen i i'w dangos. Ond dyma un
hogan fach yn codi ei llaw:

''Dach chi'n gwbod y plant bach du 'na?''

---

* (mae'n rhaid fod 'na derm gwell am *lay-by*. Oes gan rywun
  gynnig gwell?)

Dysgu yn Nigeria, cyfnod VSO.

'Ia . . .'
'Oeddech chi'n eu twtsiad nhw?'
'Wel o'n siŵr.'
'YYYYYYCH!'

Diffyg gwybodaeth ynteu rhagfarnau rhieni wedi
eu llyncu dros swper o flaen y bocs?

A digon o draethu am y llanast a'r lladd sydd yn
Ne'r Affrig wedi diwedd *apartheid*. Edrychwch ar
Ogledd Iwerddon a Kosovo. Nid lliw eich croen
sy'n penderfynu sut berson ydach chi.

4

'Dach chi'n gwbod pan fyddwch chi'n cymryd rhan mewn cwis tafarn, ac mae'r holwr yn gofyn cwestiwn hollol od, a 'dach chi'n deud y peth cynta sy'n dod i'ch meddwl chi? Wel, gan amla, 'dach chi'n newid eich meddwl tydach? A naw gwaith allan o ddeg, roeddach chi'n iawn y tro cynta ac yn cicio'ch hun, ac mae'r diawlied clyfar yn y gornel, sydd wastad ddeg pwynt o flaen pawb arall, yn ennill o un pwynt y noson honno. Fel'na mae bywyd weithia.

Roedd hi fel'na i mi heno. Ro'n i wedi bod mewn cyfarfod hir, ac wrth adael, mi ofynnodd rhywun 'Ti'n dod am beint bach?' Wel, mi feddyliais i am yr holl oedd gen i i'w wneud adre, y golchi llestri, hwfro blew cath, ffonio a sgwennu, ac mi ro'n i ar fin deud, 'Na, ddylwn i ddim' ond mi wnes i ailfeddwl a deud, 'Ocê 'ta, jest ryw un bach.' Mi symudais y car o gefn Theatr Gwynedd rhag ofn i mi gael fy nghloi mewn, a'i barcio o flaen swyddfa'r post a mynd efo criw bach difyr i'r Ffesant a Firkin. Rhyfedd fel mae'r enw mor addas o edrych yn ôl.

Aha, dwi'n eich clywed yn deud, mi gafodd y ferch wirion fwy nag 'un bach' a chael y bag wrth yrru adre yndo? Naddo wir, hanner soda a leim ges i, diolch yn fawr. Ges i lawer gormod o'r stwff cryfach dros y penwythnos yn Sesiwn Fawr Dolgellau – a Sesiwn wych oedd hi hefyd. Ella y gwna i sôn amdani os ga i wared o'r myll wrth sgwennu hwn. Ond 'nôl at heno. Ar ôl hanner awr o roi'r byd celfyddydol yn ei le, es i'n ôl at y car. Roedd hi tua 8.30, ac yn olau. Ac wrth estyn fy ngoriadau, mi rewais i'r palmant. Doedd gen i ddim ffenest. Roedd tu mewn fy nghar yn shwrwds o wydr, a homar o garreg ar y sedd lle bu fy mag. Fy mag mawr lledr du, yr un fues i'n oedi drosto cyhyd cyn estyn fy ngherdyn credyd a'm llygaid ar gau.

Mae o'n deimlad ofnadwy, gweld eich car bach ffyddlon wedi ei reibio. Mae'ch stumog yn troi, eich pen yn mynd yn ysgafn ac mae'n anodd meddwl yn rhesymol. 'Dach chi'n trio cofio be oedd yn y bag, a 'dach chi'n teimlo'n sâl. Be oedd ar fy mhen i'n gadael bag ar y sedd? Ond roedd y ceir yn gwibio heibio, pobl yn cerdded yn hamddenol ar hyd y palmant, a phopeth yn edrych mor normal. Doeddwn i ddim ond canllath o orsaf yr heddlu. Hyd yn oed wrth roi fy nyddiad geni i'r blismones, ro'n i'n amau mai breuddwydio ro'n i, fod y soda wedi mynd i mhen i. Ond wedi cerdded 'nôl, roedd y garreg yn gwenu'n hyll arna i.

'Smash and grab,' meddai'r blismones; mae'n digwydd yn aml ym Mangor yn ddiweddar. Lwcus mod i wedi mynd â mhwrs efo fi, ac wedi gorffen y llyfr siec gwta ddwyawr yn ôl. Roedd gen i gôt law eitha drud a sbectol haul ar y sedd hefyd, ond doedden nhw ddim wedi sbio ar rheiny; maen nhw'n gwneud y peth mor sydyn, dydyn nhw ddim yn aros i weld be arall sy'n y car. Diolch am hynny.

24

A diolch i'r nefoedd mod i wedi rhoi y peth pwysica un, fy Nyddiadur Mawr y Lolfa, mewn cwdyn plastig ar gyfer y cyfarfod. Anghofiwch y bag a'r ffôn symudol newydd sbon danlli, taswn i wedi colli fy nghyfaill mawr glas, mi fyddwn i wedi beichio crio yn y fan a'r lle. Yr holl rifau ffôn, yr holl wybodaeth am lle dwi fod a phryd am weddill y flwyddyn. Fedra i'm cytuno i ddim heb ymgynghori â nyddiadur. Does 'na'm pwynt gofyn i mi be dwi'n neud fory os na fedra i agor fy mêt mynwesol yn gyntaf.

Felly dyna pam dwi ddim yn rhy flin bellach. Ydw, dwi'n cicio fy hun, yn enwedig wedi pori yn fy nogfennau yswiriant a gweld mod i wedi newid y polisi fis Medi, sy'n golygu mod i wedi talu llai am yr yswiriant, ond na cha i geiniog am fy eiddo personol. Arbed punt a cholli trichant. Dyna ddysgu gwers ddrud. Ond mae fy nyddiadur gen i. Rhywbeth fyddai'n golygu dim i'r sinach hyll daflodd y garreg, ond mae o fel aur i mi.

Felly, er mod i isio dal pen y mochyn sydd â mag i dan beipen siwrej yn y Fenai, er mod i'n flin fod cymdeithas wedi dirywio i'r fath raddau, ac er mod i'n damio mod i'n gorfod talu hanner canpunt am ffenest newydd bore 'fory, alla i ddim ond diolch a derbyn y gallai fod yn waeth. Dim iws codi pais a ballu.

Ond dwi'n newid fy mholisi yswiriant bore 'fory, a wna i byth adael fy mag yn y car eto. Dwi'm yn mynd i newid fy meddwl mewn cwis tafarn

chwaith. A gobeithio y caiff y lleidr bach snichllyd
'na rywfaint o fudd allan o'r pethau oedd gen i'n y
bag: bocs o Clorets, brwsh gwallt, ambell feiro a
Rhaglen y Dydd Eisteddfod Llangefni. Bydded iddo
gael halitosis, llau, inc dros ei drowsus a dôs
angheuol o ddiwylliant.

5

Mae eich Steddfod bersonol yn dibynnu'n arw ar
eich oed tydi? Wel, dyna mhrofiad i beth bynnag.
Pawb â'i Steddfod fach ei hun, beryg. Pawb dan
ddeunaw yn fudr a blinedig ond yn hapus ar y naw
efo'u hwythnos o ryddid afreolus; grwpis y Babell
Lên wedi cael eu dôs flynyddol o ddiwylliant a'r
criw cerddorol wedi eistedd drwy bob prilim ac
eisoes wedi penderfynu pwy gaiff y Ruban Glas.
    Mi dreuliais fy Steddfodau cynnar, cyn bod yn
ddigon hen i fynd i'r maes pebyll, yn dilyn fy rhieni
i bob prilim canu, o'r sopranos i'r contraltos, o'r
tenors i'r baswyr.
    Mae'n rhaid mod i wedi bod yn y rhan fwya o
gapeli Cymru erbyn hyn. O! y greadures, meddech
chi, y peth bach yn gorfod eistedd drwy'r holl ganu
'na. Ond na, dwi'm yn cofio bod yn flin o gwbl;
roedd yr holl beth yn eitha difyr a deud y gwir.
Roeddech chi'n gweld yr un wynebau bob
blwyddyn, ac yn clywed yr un lleisiau, ond roedd y
prilims yn hwyl. Dwi'm yn gwbod ydyn nhw'n dal

yr un fath, ond roedden nhw'n wych yn y saithdegau. Roedd 'na awyrgylch arbennig iawn yno, *camaraderie* llawn tynnu coes, a llwyth o ddynion barfog efo lleisiau dwfn yn rhoi polos i chi, a merched yn gacen oren o golur jest â malu'r ffenestri efo'u top 'C's'. Ro'n i'n cael modd i fyw yn clywed pobl yn methu nodau ac anghofio'u geiriau; ond dyna ni, dwi'r math o berson sy'n chwerthin hyd at ddagrau pan fydd rhywun yn baglu neu lithro ar groen banana. Ac nid y fi oedd yr unig un oedd yn pinsio fy hun i beidio chwerthin pan fyddai ambell gymeriad tôn-deff yn gwneud ei gyfraniad blynyddol. Roedd hyd yn oed y beirniad yn ysgwyd, a'r cyfeilydd yn crynu. 'Dach chi'n gweld, roedd 'na rai'n cystadlu na fyddai byth yn mentro mewn steddfod fychan, ond yn troi i fyny'n ddefodol i bob prilim cenedlaethol. Does gen i ddim clem pam oedden nhw'n gwneud hyn, ond roedd o'n adloniant efo 'A' fawr. Roedden nhw'n rhan o'r 'sîn' a phawb yn falch o'u gweld yn camu at y piano. Ond bob hyn a hyn, mi fyddai rhywun yn cael hwyl go iawn arni, ac mi fyddwn yn cau fy llygaid a gadael i'r llais a'r melodi godidog fynd â fi yn llwyr, nes bod blew fy ngwar yn codi a nghefn yn un wefr fawr, hyfryd. Ac os nad oedden nhw'n cael llwyfan, ro'n i'n mynd reit flin. A byddai'r bois mawr blewog jest â blingo'r beirniad druan. Ew, dyddiau da.

Pe bawn i wedi cael llais canu, mae'n debyg mai yn y prilims fyddwn i o hyd, ond daeth yr arddegau,

ac roedd y maes pebyll yn galw. Dim mwy o B&B a
row gan Mam am dywallt sôs coch dros lian bwrdd
brecwast; yn hytrach, ugeiniau o gyrff mewn pabell
i ddau neu gefn Ford Escort neu lori wartheg, a
chiwio i olchi dannedd dan dap dŵr oer mewn cae o
fwd, a thaenu'r pâst dannedd dros yddfau amrwd.
Pam 'dach chi'n meddwl roedd pawb yn gwisgo
sgarffiau cotwm efo'u crysau *cheese-cloth check*?
Cur pen tan hanner a byrgar i ginio, te a swper.
Ciwio am oriau am dai bach mewn tafarndai o
wydrau plastig, ciwio am ddyddiau i gael fy syrfio,
a ffansïo bechgyn Rhydfelen oedd yn siarad yn od,
ond wastad mor ddel ac i gyd yn chwarae rygbi.
Mentro i faes y Steddfod tua dydd Iau, jest i
ddangos fy wyneb, ar ôl cael cawod yn y pwll nofio
agosa a llyncu polos fesul paced. 'Sub' gan Dad os
oedd o mewn hwyliau da, a'i heglu hi'n ôl at y criw
tu draw i'r weiren bigog. Noson wallgo arall o flaen
tanllwyth o dân, a deffro'n y bore a nghefn yn wlyb.
Rhyw feddwyn dwl wedi pi pi dros ochr y babell a
hwnnw'n beth canfas oren oedd ddim yn dal dŵr.
Ges i lond bol o'r Steddfod yna ar ôl dipyn.

A rŵan mod i'n ddynes barchus yn fy nhridegau,
mae'r tafarndai lle mae'r criw ifanc yn hel yn mynd
ar fy nerfau i. Dwi wedi cael llond bol o lond tŷ
bach o ferched yn crio a bobl yn taflu i fyny dros fy
sgidiau. Felly, ers rhai blynyddoedd bellach, dwi'n
mynd i weld dramâu a nosweithiau barddonol
gyda'r hwyr a chrwydro'r maes yn ystod y dydd.
Dwi hyd yn oed yn mynd i'r Babell Lên ac yn

28

prynu'r *Cyfansoddiadau*. Argol, dwi wedi mynd yn barchus! Os fydda i'n cario mlaen fel hyn, does wybod, ella y bydda i'n cyrraedd tu mewn y pafiliwn cyn bo hir.

6

Pan fyddwch chi'n darllen hwn, mi fydda i ar fy ngwyliau yn Iwerddon; wel, ar fy ffordd yn ôl i Gaergybi o bosib. Ond heddiw, dwi'n dal i hanner pacio, smwddio ac ati. Dwi'n edrych ymlaen, bobol bach. Wythnos fach yn ne'r Ynys Werdd – grêt. Ond roedd yn deimlad od chwilio am fy mhasport ac yna cofio na fyddai ei angen. Dwi'm wedi bod am wyliau ha' i le sydd ddim cynhesach na Chymru o'r blaen, felly does dim rhaid i mi wario ffortiwn ar hufen haul a hufen wedi haul a'r holl gybôl. A does gen i ddim syniad be fydda i'n ei neud yn ystod yr wythnos – rydan ni wedi penderfynu dilyn ein trwynau a gweld be ddaw. Mae gwyliau felly gymaint gwell na'r pethe pacej 'ma.

Dwi'n cofio fy ngwyliau 'pecyn' cyntaf i Sbaen: roedd fy nghyfnither wedi bwcio pythefnos yn Lloret de Mar gyda chyfaill coleg, ond roedd honno wedi gorfod tynnu'n ôl. Felly mi es. Ro'n i wedi bod dramor o'r blaen, i Ffrainc i aros gyda theulu, oedd yn brofiad bendigedig. Nhw ddysgodd i mi fod stecan waedlyd, bron yn amrwd, gymaint mwy blasus na'r tafelli concrit fyddai Mam yn eu hoffrymu i ni. Ro'n i hefyd wedi bod yn gwersylla yn ne Ffrainc ar fy mhen fy hun, ac wedi dod i nabod y bobl leol a ffordd wahanol o fyw mewn pentref bach glan môr delfrydol.

Nid lle felly mo Lloret de Mar. Wn i ddim ydi'r lle wedi newid erbyn heddiw, ond yn yr wythdegau cynnar roedd o'n dwll. Doedd dim golwg o hen bentref bach y pysgotwyr, dim ond aceri o westai anferthol, hyll, a *Brits Abroad* yn eu miloedd. Roedden ni'n y gwesty mwyaf un, clamp o adeilad wedi ei adeiladu fel polo mint sgwâr, ac roedd gennym olygfa odidog o'r twll yn y canol, pydew yn drewi o'r llanast oedd wedi ei daflu o'r ffenestri ers blynyddoedd. Roedd y stafell fel bocs sgidiau, y llieiniau yn frown a thyllog, ac roedd 'na gamelod yn y matresi. Criw o fechgyn o Newcastle oedd drws nesa i ni, a'r rheiny'n feddw gaib drwy'r dydd ac yn waldio'i gilydd drwy'r nos. Byddai ceisio cysgu fel byw trwy ffilm Batman, yn 'KPOW!' 'THWACK!' ac 'AROOOOGAH!' cyson. Dwi'n gobeithio mai ymladd oedden nhw.

Ro'n i wedi gobeithio cael blasu'r *cuisine* lleol, ond roedd pob stryd yn fôr o arwyddion am facwn ac wy rhad a bechdanau *chips* rhatach fyth, a fyddwn i'm yn cynnig bwyd y gwesty i nghath. Fe ddois o hyd i le oedd yn gwneud *paella*, ond dim ond i ddau berson, a doedd fy nghyfnither ddim yn hoffi reis na bwyd môr na garlleg. Roedd hi'n berffaith hapus yn byw ar facwn ac wy a bechdan bara sleis bob pryd. Rŵan, dwi'n hoff iawn o facwn ac wy fy hun, ond roedden ni yno am bythefnos, cofiwch chi. Pan ofynnais i'r gweinydd a allwn i gael rhywbeth – unrhyw beth – gwahanol, rhywbeth lleol efallai, edrychodd arna i'n hurt. Dim ond stwff i siwtio'r *Ingles* oedd ganddyn nhw. Ges i omlet.

Doedden ni ddim yn ddigon gwybodus i wrthod talu crocbris am bethau fel yr *'High point of your holiday – the Beach Party!'* ac i ffwrdd â ni ar y bws fel lloi i'r lladd-dŷ. Profiad erchyll, a'r enghraifft greulonaf o greulondeb y ddynolryw. Pwy fu'n hyfforddi y *reps* 'na? Y Gestapo? Mi fuon nhw'n cynnal cystadlaethau drwy'r dydd, o'r busnes pasio ciwcymbars o ddyn i ddynes, i bethau llawer mwy annifyr. Dyna i chi'r gystadleuaeth 'Dod o hyd i'r person tewaf ar y traeth' a olygai gorfodi'r trueiniaid blonegog i godi ar eu traed a neidio i fyny ac i lawr – yn eu dillad nofio – o flaen pawb. Pam mod i'n cael y teimlad fod Chris Evans wedi bod yn Lloret de Mar?

Felly dyma benderfynu osgoi'r tripiau, a jest torheulo a darllen ar y traeth drwy'r dydd. Ha! Roedd angen Jac Codi Baw i gael darn gwag o dywod. Mae'n anodd canolbwyntio ar eich Jilly Cooper gyda bodiau traed dieithryn yn eich clust, a Darren pump oed yn rhawio tywod dros eich gwallt bob munud wrth geisio adeiladu castell yn y chwe modfedd gwag rhyngoch chi a'i bladres o fam warchodol.

Ond, rhaid cyfadde, roedd y tafarndai a'r clybiau nos yn ddifyr tu hwnt, a dynion del yn berwi ynddyn nhw. Wna i ddim helaethu. Ond, er hynny, a' i byth yn ôl i Lloret tra bydda i byw, nac i'r lle ofnadwy hwnnw ym Mhortiwgal chwaith. Alla i ddim cofio'r enw, ond un o'r *late bookings* 'ma oedd o, ac roedden ni'n lled-amau y funud y glaniodd yr awyren, pan ofynnon ni i'r rep ym mha adeilad yn y *brochure* roedden ni'n aros. Pwyntiodd y gŵr at lun o westy eitha smart: 'Welwch chi'r un yma?' 'Ia . . .' 'Mae o y tu ôl i hwnna.' O diar.

Roedden ni ar y llawr ucha a doedd y lifft ddim yn gweithio, a doedd 'na neb i'n cynorthwyo gyda'n cêsys. Roedd y traeth *'within walking distance'* meddai'r rep. Oedd, os oedd ganddoch chi sgidiau mynydda ac yn fodlon codi am saith i gyrraedd y dŵr erbyn cinio. Roedd y stafell fel cwt ieir, yn hyll, bobol bach, a bob tro roedden ni'n agor cwpwrdd, roedd 'na wely'n disgyn allan. Roedd ganddon ni ofn agor drôr. Y diwrnod canlynol, wedi'r marathon chwyslyd i'r traeth, roedden ni'n mygu eisiau diod. Dyma fynd mewn i gaffi. Archebu dŵr wnes i, ac er i ddiodydd y lleill gyrraedd o fewn ugain munud, dal i ddisgwyl yr o'n i wedi hanner awr a mwy. *'Excuse me,'* medda fi mewn llais bach cwrtais a chlên, *'I ordered some water?'* Bu bron i'r weinyddes boeri arna i. *'I KNOW!'* sgrechiodd, a mynd i weini ar gwpl oedd newydd gyrraedd. Doeddwn i ddim wedi bod yn sych efo hi, fydda i byth, wedi bod yn weinyddes fy hun, a dwi'n dal ddim yn siŵr be wnes i iddi, ond pan gyrhaeddodd fy mhotel blastig wedi hir ymaros, bu bron iddi ei daflu ata i. Na, a' i ddim yn ôl i fan'no chwaith. Ond pan brynais i docyn awyren i Bortiwgal ychydig flynyddoedd cyn hynny, a dilyn fy nhrwyn yn llwyr, ges i amser bendigedig, ac roedd pawb mor gwrtais a chlên. Ges i le i aros gyda theulu bach tlawd, mewn llofft oedd fel pìn mewn papur, ac roedden nhw'n mynnu fy hebrwng i'r traeth bob dydd. Byddai'r plant hyd yn oed yn dod â ffigys ffres i mi bob bore o'r goeden yn yr ardd.

Na, tydi'r pecyn a finna ddim yn deall ein gilydd. Felly DIY amdani, gyda fawr mwy na phabell a map o Iwerddon. A hyd yn oed os bydd hi'n tresio glaw bob dydd, dwi'n gwybod y bydd llefydd fel Dingle a Ballyferriter fel Ynys Mystique o'u cymharu â Lloret de Mar.

7

Camgymeriad oedd Iwerddon: doedd wythnos ddim yn ddigon. Mae angen o leiaf dair wythnos yno, a byddai chwe mis wedi bod yn braf. Dwi mewn cariad, dros fy mhen a nghlustiau, wedi gwirioni'n rhacs – gyda Iwerddon. Dwi wedi bod yno droeon o'r blaen, i Gork yn yr wythdegau cynnar, i Ddulyn am benwythnosau rygbi a thripiau siopa a ballu efo vouchers y *Daily Post*, ac i ardal Waterford dros y flwyddyn newydd. Dwi wedi mwynhau fy hun yn arw bob tro, ond fûm i erioed yn y Gorllewin

Gwyllt o'r blaen. Mi af yn ôl. Mi fues i hyd yn oed yn glafoerio yn ffenestri arwerthwyr tai yn Dingle. Yn aml iawn, doedden nhw ddim yn dangos llun o'r tŷ, dim ond yr olygfa o'r drws, ac roedd hynny'n ddigon, credwch fi. Ond bydd raid i mi sgwennu tipyn mwy o golofnau a llyfrau cyn i mi fedru fforddio hyd yn oed gwt sinc yno, ac erbyn hynny, mi fydda i angen *zimmer frame* i gyrraedd y drws.

Ta waeth, gewch chi mo'r cwbl sy'n fy nyddiadur, ond dyma flas o'r wythnos hynod addysgiadol:

Gwers 1: Peidiwch â cheisio gadael Dulyn pan mae Cork ac Offaly newydd fod yn chwarae gêm Hurling fawr yno. Roedd y gyrru yn hynod ddidrafferth nes i ni gyrraedd i'r gogledd o Kildare. 'Dach chi'n cofio Dolgellau cyn y ffordd osgoi? Wel, mae hi'n waeth yng Nghildare. Roedd hi'n arbennig o flêr oherwydd fod cefnogwyr gwallgo Cork yn gyrru ar hyd y darn gwair yng nghanol y draffordd, a'r chipins ar yr 'ysgwydd galed' yr ochr arall; filoedd ohonyn nhw, a phob car yn fflagiau coch a llanciau llon mewn crysau, sgarffiau a phob dilledyn posib coch. Ew, roedd hi'n ddifyr yno. Dyma benderfynu cael swper yng Nghildare, ynghanol y crysau cochion a gwylio peth o'r gêm ar sgrin fawr yn y dafarn. Felly y tro nesa, mi fyddwn ni'n cyrraedd ar fore Sul er mwyn cael gweld gêm a bod yn rhan o'r holl rialtwch. Bechod fod 'na'm cystadleuaeth sirol debyg yng Nghymru. Bechod fod ganddon ni'm gêm genedlaethol ein hunain.

Gwers 2: Peidiwch â thrafferthu efo Tra li a Chil Airne ym mis Awst. Oes, mae 'na rosod del yn Nhra Li, a mynyddoedd hyfryd o gwmpas Cil Airne, ond mae'r trefi eu hunain yn fôr o siopau o *leprechauns* plastig a thwristiaid o'r Unol Daleithau; llefydd tebyg i Fetws-y-coed, wastad yn llawn ymwelwyr ond fawr ddim arall.

Gwers 3: Ewch allan i'r Iwerddon go iawn, i'r trefi a'r pentrefi llai. Mae 'na ffair yng Nghilorglin bob Awst 10–12, ffair 'Puck', y ffair hynaf yn y wlad, ac roedden ni'n aros yno gyda ffrindiau. Bydd ffermwyr Môn yn cofio Paudie O'Shea, fu'n filfeddyg yn Llangefni ar ddiwedd yr wythdegau; wel, efo fo oedden ni, fo a'i wraig a'i bedwar mab bach ac un arall ar y ffordd. Dyna i chi be oedd croeso, ac mi fynnodd Paudie ddangos y *craic* i ni gan ein tywys i wahanol dafarndai'r dre. Llefydd difyr tu hwnt, ambell un yn dafarn ar y dde a siop grosar ar y chwith ac yn llawn o ddynion o'r mynyddoedd wedi dod i werthu ceffylau a gwartheg yn y stryd. Ro'n i wedi prynu crys-T Cowbois yn y Steddfod, un efo 'Welsh Tart' ar y blaen a 'cyrens duon' ar y cefn, a dwi'n falch ofnadwy na ches i'r gyts i'w wisgo. Mi fyddwn wedi cael fy mwyta'n fyw cyn gallu egluro ystyr cyrens duon.

Mae'r ffair fel Sesiwn Fawr Dolgellau, ond yn fwy cyntefig. Mae 'na fiwsig ar y stryd ac yn y tafarndai, a stondinau'n gwerthu popeth dan haul, ond prif atyniad y rhialtwch ydi'r Brenin Puck, sef bwch gafr sydd wedi ei ddal yn y mynyddoedd, a'i

goroni gan forwyn 12 oed o'r fro cyn cael ei godi ar
dŵr anferthol ynghanol y sgwâr i gael
goruchwylio'r cwbl am y tridiau. Eglurodd un o'r
hogia lleol wrtha i eu bod nhw'n deud wrth yr
Americanwyr mai hanes rhyw ryfel oedd tarddiad y
peth, lle roedd 'na eifr wedi helpu'r milwyr lleol i
orchfygu'r gelyn, 'ac mae'r ffylied yn credu pob
gair,' meddai, 'ond y gwir ydi mai hen ffair
baganaidd ydi hon. Mae'r afr yn satanaidd, y tŵr yn
ffalig, a digon amheus ydi'r busnes morwyn ifanc
yn gneud y coroni hefyd . . .'

Roedd 'na gryn dipyn o Americanwyr yno, a'r
bobl leol yn cael hwyl garw yn paldareuo pob math
o rwtsh wrthyn nhw. Mae'n debyg fod 'na un boi o
Texas wedi gofyn be oedd y polyn hir, metal oedd
wrth droed y bar ym mhob tafarn. 'O,' atebodd un
cyfaill fel mellten, 'fan'na mae'r *leprechauns* yn
clymu eu ceffylau.'

Alla i byth â sôn am bob dim wnaethon ni; bydd
angen llyfr i gofnodi bob dim, o'r hwyl yn
gwersylla mewn cae di-doilet wrth y môr ger
Ballyferriter, a'r profiad ysbrydol yn ynysoedd y
Blasketts. Rhaid bodloni ar y ffaith mod i ddim
wedi chwerthin gymaint ers blynyddoedd. Mae'r
Gwyddelod mor ffraeth, mor ddifyr, ac yn gallu
trafod unrhyw beth dan haul. Mae 'na sinema UCI
yn un o ardaloedd tlotaf Dulyn sy'n gwneud mwy o
bres nag unrhyw UCI arall yn y byd. Dyw'r ffaith
fod fideos yn rhatach yn golygu dim i'r Gwyddel.
Mae'n costio tua £4 i weld ffilm, fel yng Nghymru,

Ar ynysoedd y Blasketts yn Iwerddon.

ond 'chydig iawn ohonom ni sy'n mynd i weld ffilm dair neu bedair gwaith yr wythnos. A ffilmiau da sy'n eu diddori ar y cyfan. A'r prif atyniad ydi ei fod yn rhywbeth cymdeithasol – maen nhw'n mwynhau trafod y ffilm wedyn. Mae'r busnes llyfrau yn llewyrchus iawn, a bri mawr ar lenyddiaeth gan awduron Gwyddelig. Pryd ddarllenoch chi lyfr Eingl-Gymreig ddwytha?

Mae pawb yn dysgu Gwyddeleg yn yr ysgol, a hanes Iwerddon o oes y Celtiaid hyd heddiw. Ges i 'rioed wers am hanes Cymru.

Mae'r atyniadau ar gyfer ymwelwyr yn Wyddelig – a difyr oedd darllen erthygl yn *Golwg* am ddiffyg un gair o Gymraeg ar y nwyddau sydd ar werth ar gopa'r Wyddfa.

Dyna a'm trawodd yn Iwerddon – ar y cyfan,

maen nhw'n cael math gwahanol o ymwelwyr, pobl sydd eisiau blas o ddiwylliant gwahanol, a chlywed yr iaith Wyddeleg. Dyna pam fod cymaint o Ffrancwyr ac Almaenwyr ariannog yn gyrru'n ddall drwy Gymru i gyrraedd Caergybi. Mae'n bryd i'r Cymry ddeall hyn. Os mai rwtsh 'dan ni'n ei gynnig i ymwelwyr, rwtsh gawn ni'n ôl.

Reit, esgusodwch fi rŵan, dwi am wrando ar Christy Moore yn canu *Ride On* eto tra dwi'n darllen *Twenty Years a Growing* gan Maurice O'Sullivan, cyn gweithio allan pryd ga i fynd 'nôl i Kerry, a gweld Connemara, Clare a Donegal hefyd y tro nesa.

8

Gan mod i wedi cael y fath wefr yn ynysoedd y Blaskett tra o'n i yn Iwerddon, mi deimlais ei bod hi'n hen bryd i mi fynd draw i Enlli; a deud y gwir, ro'n i'n teimlo cywilydd mod i heb fod cyn hyn. Felly ddydd Sul, roedd fy enw i lawr ar gyfer cwch cynta'r bore. Ro'n i'n mynd i aros dros nos gyda Mair Harlech ac Alun ei gŵr, sydd wedi bod yn wardeniaid yno ers bron i ddwy flynedd, ac mi ro'n i wedi gwario ffortiwn ar siocled a ballu, gan eu bod yn cwyno fod y silff siocled yn dechrau gwagio. Roedd yr haul yn tywynnu, yr awyr yn las a'r môr yn dawel; ro'n i'n gynnar ac mi ro'n i wedi gweld dwy bioden ar y ffordd. Ydw, dwi wastad yn adrodd yr hen bennill Saesneg 'na pan wela i biod: '*One for sorrow, two for joy*' ac ati; Ond wedi parcio yng nghowt y fferm, mi ddechreuais gerdded gyda'r bagiau trwm o ddanteithion, brwsh dannedd a ballu – am Aberdaron. Bydd y rheiny ohonoch sydd wedi bod i Enlli yn gwaredu. Ydw, mi rydw innau bellach yn gwybod mai cerdded i lawr am Borth Meudwy oedd y peth call i'w wneud, ac ydi, mae'n bell i Aberdaron, ond ro'n i wedi drysu braidd. Stori hir. Pan gyrhaeddais i'r siop yn y pentre, ac effaith fy mhotel *Sure* anti-chwys wedi hen bylu, roedd llygaid y ferch wrth y ddesg fel soseri.

'Be? 'Dach chi wedi gadael eich car yno a cherdded 'nôl fan'ma?'

'Ym . . .' Argol, ro'n i'n teimlo'n rêl ffŵl. A taswn i wedi gweld y piod 'na mi fyswn i wedi'u saethu nhw. Ond, roedd 'na gwpl clên iawn o Fôn â lle yn eu car i mi, felly diolch o galon iddyn nhw am fy nghludo'n ôl i lle ro'n i fod.

Roedd 'na griw da yn disgwyl wrth y cychod, a'r rhan fwya ohonyn nhw'n Gymry, rhai wedi fy mhasio'n mynd y ffordd anghywir, ac wedi meddwl mai dod 'nôl o'r Ynys yr o'n i. Ond fel ro'n i'n dechrau dod ataf fy hun, daeth gŵr ifanc gyda 'wôci-tôci' atom ni – wastad yn arwydd drwg. Doedd y cwch ddim yn gallu mynd. Ro'n i'n amau mai jôc oedd o i ddechra. Ond na, roedd y gwynt wedi codi – tra ro'n i'n chwythu fy ffordd yn ôl i Aberdaron mae'n siŵr – felly tyff. Ro'n i isio crio.

Aeth pawb arall yn ôl at eu ceir yn dawel, ond mi benderfynais i aros wrth y môr am dipyn. A bod yn onest, ro'n i'n rhy nacyrd i symud. Mi fwytais un o'r byns mêl ro'n i wedi eu cludo bob cam o Ddolgellau am fod Mair yn eu hoffi, a rhythu ar y bali tonnau oedd yn mynd yn fwy bob munud. Roedd melyster wedi gweithio i Samson, ond ro'n i'n drysu efo Canute, toeddwn. Er i mi sefyll yno am ddwyawr fel y brenin styfnig hwnnw, ofer fu. Felly es i am dro rownd Pen Llŷn, a dod adre. Tydi'r cwch ddim yn debyg o fynd 'fory chwaith.

Dyna'r ail dro i mi fethu mynd i Enlli. Rois i gynnig arni mewn canŵ unwaith; wel, doedd hi fawr o gynnig chwaith. Erbyn cyrraedd Aberdaron y bore hwnnw, roedd y niwl wedi disgyn a'r môr yn corddi. Dim ond ffŵl fyddai'n mentro i Enlli mewn darn o blastig ar ddiwrnod fel'na. Ond ro'n i ac Andy, fy nghyfaill hynod brofiadol mewn canŵ, wedi teithio'n bell, felly dyma benderfynu jest rhoi tro bach o amgylch ynysoedd Tudwal yn lle hynny. Roedd y siwrne yno'n braf iawn, ond roedd 'na donnau fel tai y tu draw i'r ynysoedd, oherwydd fod y gwynt a'r llanw yn cyfarfod yno. Ro'n inna'n teimlo braidd yn 'ryff' y bore hwnnw, wedi cael nos Sadwrn braidd yn hegar, ac roedd fy mol innau'n dechrau corddi. Ond roedd Andy'n padlo fel bwni batris *Duracell* heibio'r ynys orllewinol. O wel. A dyna fi yno, ynghanol Eryri o ddŵr. Roedd Andy wastad ar dop y tonnau, tra oedd pob un yn torri drosof fi am ryw reswm. Mae tonnau felly am eich gwaed, yn gwneud pob dim i geisio eich troi ben i waered. Ro'n i'n eitha giamstar am rowlio 'nôl i fyny fel arfer, ond wedi brwydro ddwsinau o weithiau i gadw mhen allan o'r dŵr, ro'n i'n dechrau nogio, a phan ddaeth Wyddfa wlyb amdana i, roedd hi'n Amen. Mi wnes i ryw hanner rowlio fyny, ond tydi hanner ddim yn ddigon da. Bobol, roedd y dŵr 'na'n oer. Doedd dim amdani ond disgwyl i Andy badlo'n ôl ata i, a theimlo'n rêl ploncar. Cyn pen dim, ro'n i'n gafael ym mhen blaen ei ganŵ o, ac yntau wedi codi fy nghanŵ i dros ei ganŵ o er mwyn ei gwagu. Tydi hyn ddim yn drafferthus o gwbl – fel arfer – ond mi ddoth 'na homar o don arall o rywle, a bu'n rhaid i Andy ollwng fy nghanŵ er mwyn ei achub ei hun. Mi lwyddodd, ond yn yr eiliad honno, roedd 'na wynt anferthol wedi cipio fy nghanŵ i ac roedd o'n prysur hedfan am y creigiau. Wnaeth Andy ddim rhegi, dim ond dyfynnu yr hen Arnie: '*I'll be back.*' Ro'n i'n eitha hapus yn arnofio yn fy siaced achub, gyda dim ond fy mhadl yn gwmni, ond tydi dal i fyny efo darn o blastig gwag mewn crochan wyllt, heb sôn am ddod â hi'n ôl at lle ro'n i, ddim yn hawdd. Ac oherwydd maint y tonnau, roedd hi'n sefyllfa 'Rŵan dwi'n dy weld ti – a rŵan dwi ddim.' Erbyn llusgo fy hun yn ôl mewn i'm sedd, ro'n i'n oer iawn, iawn, ac yn ceisio cofio be ydi arwyddion cyntaf hypothermia. Ro'n i'n dal i fedru cyfri am yn ôl – ffiw, go dda – ond ro'n i wedi malu'r teclyn traed (rhywbeth y gallwch chi

41

bwyso'ch traed arno, sy'n golygu ei bod yn haws padlo'n effeithiol), felly ro'n i'n gorfod gwasgu mhengliniau'n galed yn erbyn ochrau'r canŵ, a finnau'n wan fel bechdan. Erbyn hyn, roedden ni ar ochr y môr mawr o'r ynysoedd ac roedd gen i badlo caled i'w wneud os own i am ddianc at y dŵr tawel yr ochr arall. Roedd ganddon ni *flares* ac ati – fyddwn ni byth yn mentro heb yr offer diogelwch angenrheidiol – ond roedd y niwl erbyn hyn mor drwchus, prin fyddai neb o'r lan yn gallu gweld dim. Doedd gen i'm dewis.

Roedd o'n brofiad od, gwybod fod yn rhaid i mi frwydro drwy'r tonnau oedd yn torri ar y creigiau bob ochr i mi. Mi ddysgais lawer amdanaf fy hun yn ystod y cyfnod byr yna. Mi ddysgais lawer am y môr hefyd, mwy mewn ugain munud na mewn blynyddoedd o gyrsiau a phapurau theori. Do, mi gyrhaeddais y dyfroedd tawel mewn un darn, neu fyddwn i ddim yn sgwennu hwn heddiw, ac wedyn mi daflais i fyny. Rŵan, fel arfer, pan 'dach chi'n gorfod diodde'r broses boenus yna, 'dach chi'n gallu plygu drosodd tydach, fel bod effaith disgyrchiant yn cynorthwyo'r llif. Anodd mewn canŵ. Ond ro'n i'n teimlo'n well wedyn. Ro'n i'n well fyth pan laniodd hanner dwsin o'r palod delia 'rioed droedfeddi o mlaen i. Maen nhw gymaint tlysach na bali piod.

'Nôl ar y traeth, yn nyrsio paned boeth allan o fflasg, cyhoeddodd Andy nad oedd o erioed wedi gwneud smonach o achub neb o'r blaen, na gweld rhywun yn sâl môr mewn canŵ, na gweld palod yng ngogledd Cymru. Cyhoeddais innau na fyddwn i byth, byth eto yn canŵio ar ôl bod ar y cwrw. Mae'n rhaid i bawb dyfu i fyny ryw dro, ond oedd raid i mi gael gwers mor ddramatig?

Felly, dyna chi fy nau gynnig i ar gyrraedd Enlli, ond, mae 'na wastad dri chynnig i Gymraes hefyd. Gyda lwc, mi fydd 'na gwch yn gadael cyn y bennod nesa.

9

Dyfal donc, meddan nhw, felly dyfal doncio fues i, ac mi gyrhaeddais Ynys Enlli o'r diwedd. Oedd o werth o? Oedd, tad. Roedd gen i ofn cael fy siomi wedi'r holl gybôl, ond mae f'ymweliad ag Enlli wedi coroni'r flwyddyn yma i mi.

Ro'n i wedi llwyddo i gyfyngu fy hun i sglaffio dim ond un bar Galaxy o'r tunnell o siocled ro'n i wedi ei gario ar draws gwlad y tro dwytha, ac roedd y mango yn dal yn fwytadwy yr olwg, a'r geriach eraill yn o lew, felly wedi prynu torth wen ffres a'r *Daily Post* a'r *Herald* (wrth gwrs) ar y bore Gwener, dyma ddal cwch 10.30 o Borth Meudwy. Roedd yr haul yn tywynnu, ond roedd y môr yn ferw, a'r criw o ochrau Dyffryn Conwy oedd wedi dod am y diwrnod, yn wlyb domen wedi croesi'r Swnt. Ro'n i wedi bod yn ddigon call i eistedd ym mhen blaen y cwch 'dach chi'n gweld, ac yn sych fel corcyn.

Felly dyna rybudd i chi, hyd yn oed os ydyn nhw'n addo haul braf, ewch â chôt law i Enlli. Tip bach arall: dewch â sgidiau call, a chofiwch fod angen bod yn gymharol heini i ddringo i mewn ac allan o gwch bach rwber i mewn i'r cwch mawr sy'n croesi draw i'r ynys. Roedd 'na ambell un gryn dipyn hŷn na fi wedi cael braw a deud y lleia, ond mae'r hogia sydd yng ngofal y cwch yn dda iawn am hwffio a thynnu; wedi hen arfer, debyg. Ond efallai y dylid egluro hyn ymlaen llaw i ymwelwyr sydd mewn gwth o oedran.

A'r ynys ei hun? Yn wyrdd a ffrwythlon a bendigedig. Ro'n i mewn cariad yn syth. Yr hyn sy'n eich taro fwya ydi'r tawelwch. Oes, mae 'na dractor neu ddau yn ymlwybro heibio weithiau, ond ar wahân i'r rheiny, y cwbl glywch chi ydi sŵn y môr, bref ambell ddafad a chri'r adar. O, a'r morloi. Glywais i 'rioed forloi mor fodlon yn fy myw; maen nhw'n canu a thuchan a rhechan bron yn ddi-dor. Mae 'na rai sy'n meddwl mai wylofain yn drist maen nhw, ond na, i mi, maen nhw'n canu grwndi. Dwi mor falch fod Ymddiriedolaeth Ynys Enlli yn cyfyngu nifer yr ymwelwyr i 70 ar y tro. Mae'n lle sy'n gofyn am dawelwch, ac mi fyddai cannoedd o bobl binc mewn festiau a siorts llachar yn erchyllbeth yno, ac nid jest i'r morloi. A'r hyn sy'n braf ydi fod y lle'n ddigon mawr i chi fedru mynd am dro ar eich pen eich hun a theimlo mai dim ond y chi sydd yno. Cyrhaeddodd criw o Americanwyr yno yr eilddydd, a gofyn i un o'r trigolion: '*Hey, do*

Golchi fy nwylo ar Ynys Enlli.

you feel the vibes here?' Roedd hynny'n destun
sbort am dipyn, ond o feddwl am y peth, doedd o
ddim yn beth mor ddwl i'w ddweud. Mi rydach
chi'n bendant yn teimlo rhywbeth. Mae'n anodd
rhoi eich bys arno, ond mae'n deimlad arbennig.

Ro'n i'n ymwybodol drwy'r adeg o'r ffaith fod
'na bobl wedi bod yma ganrifoedd yn ôl, yn seintiau
a phererinion, amaethwyr a môr-ladron, ac er mai
chwedloniaeth o bosib ydi'r sôn fod 'na ugain mil o
seintiau wedi eu claddu yma, mae'n ffaith fod 'na
lawer iawn o gyrff wedi eu claddu ger adfeilion yr
abaty. Mae 'na sgerbydau'n cael eu carbon-ddyddio
ar hyn o bryd, i weld pa mor hen ydyn nhw.

Ges i fy synnu fod y tai sydd yno mor fawr a
chrand. Ond cymharol newydd ydi'r rheiny, wedi eu
hadeiladu gan yr Arglwydd Newborough ('Lord
Riwbob' fel y galwyd o gan rywun a oeed yn drwm

ei chlyw neu hoff o'i gwin) yn yr 1870au. Dim ond un o'r bythynnod gwreiddiol sydd ar ôl: Carreg Bach, a hwnnw ydi fy ffefryn i. Dwi am fynd yn ôl am o leiaf wythnos flwyddyn nesa, a Charreg Bach ydi fy newis cynta i aros ynddo. Mae 'na rai adeiladau sydd jest yn siwtio rhywun on'd oes?

Aros efo Mair ac Alun y wardeniaid oeddwn i, ac erbyn i chi ddarllen hwn, mi fyddan nhw wedi dychwelyd i'r Tir Mawr. Rŵan 'dach chi'n gweld pam o'n i ar gymaint o frys? Ond yn Nhŷ Bach maen nhw wedi byw ers dwy flynedd, ac mae hi'n rhyfeddol o glyd yno, gyda Rayburn hynafol ond effeithiol, a phopty nwy i ferwi tecell. Mae 'na Elsan yn y stafell molchi 'fyny grisiau, ond dim ond ar gyfer argyfwng ganol nos mae hwnnw. Mae'r lle chwech go iawn ym mhen draw'r ardd, ac mi ro'n i wedi dotio! Silff bren gynnes a thwll bach taclus a digonedd o ddeunydd darllen i'ch cadw'n hapus. Iawn, mae gorfod gwagio Elsan yn jobyn digon annifyr, yn enwedig Elsan rhywun arall, ond gwell gen i hynny na'r profiadau ges i efo llefydd chwech yn Nigeria. Peidiwch â gofyn . . . A deud y gwir, ro'n i'n gweld tebygrwydd mawr rhwng y profiad o wneud VSO a byw yn Enlli. Meddylfryd *manyana*, mynd i'r gwely efo golau cannwyll, gorfod ffiltro dŵr cyn ei yfed, a dyna i chi'r broblem sbwriel: wel ailgylchu, debyg iawn. Bwydiach i'r domen gompost neu'r hwyaid, a llosgi'r papurach. Ac yn amlwg, roedd y compost yn arbennig, gyda'r ardd yn llawn tatws, moron, pys a ffa; ac roedd yr wyau

yn oren-goch, fel wyau ers talwm, ac yn gwneud i
rywun sylweddoli pa mor afiach ydi wyau siop
erbyn hyn. Ges i 'rioed gystal brecwast â'r wy 'di
ferwi a'r bara cartre ges i gan Mair – er mai'r dorth
wen ddois i roedd hi isio!

Mi gerddais i hyd a lled yr Ynys (wel, bron iawn
– mae isio cadw rwbath ar ôl at y tro nesa) ac mi
fedra i hyd yn oed ddweud yn berffaith onest mod i
wedi nofio'n y môr bob nos fues i ar Enlli. Ocê, dim
ond dwy noson fues i yno, ond fe erys y ffaith. A
nagoedd, doedd o ddim yn gynnes, a deud y gwir,
roedd o'n oer uffernol, ond yn hyfryd – a phreifat.
Roedd hynny'n bwysig iawn a minnau wedi
anghofio ngwisg nofio ac yn gorfod mentro iddi yn
un o festiau Mair. Na, gwell peidio dychmygu.

Do'n i ddim llwchyn o eisiau gadael, ond roedd
gen i waith yn galw, ac er i mi gael tywydd perffaith
a lliw haul iach tra o'n i yno, roedd hi'n dechrau
troi. Ond mi af yn ôl – ac os fydd rhaid dewis rhwng
Enlli ac Iwerddon, Enlli sy'n mynd â hi. Do, dwi
wedi bod ene, a phrynu'r crys-T, ond dwi isio mwy.

10

Llewelyn Evans oedd ei enw o, ac roedd o o fewn
dyddiau i'w ben-blwydd yn 92 pan fu farw: Taid, tad
fy nhad. Cafodd ei gladdu ddydd Mawrth, Medi 14.

Roedd gen i feddwl y byd ohono fo. Fy atgof
cyntaf ohono ydi dyn tal, main gyda stôr o *mint*

imperials yn ei boced. A dwi'n cofio'i draed yn arbennig. Mi fyddwn yn treulio oriau yn eistedd ar lawr wrth ei gadair yn ei wylio'n ysgwyd a throelli ei droed yn hamddenol wrth dynnu ar ei getyn. Byddai wrth ei fodd yn ein hypnoteiddio felly, ac yn gwenu'n dawel arnom y tu ôl i'w fwstásh. Mi dyfodd hwnnw i guddio'r graith ar ei wefus wedi damwain beic ar y ffordd droellog i lawr i Ddolgellau, pan aeth ei ddannedd 'reit drwy'r cnawd wsti'.

Roedd o'n ddyn hardd, a bron nad oedd o'n mynd yn fwy golygus wrth fynd yn hŷn. Gŵr cefnsyth, bob amser yn dal ei hunan yn dda, yn enwedig pan fyddai'n canu. Roedd o'n werth ei weld yn ei morio hi'n y capel, ac yn werth ei glywed hefyd. Dyna oedd ei ddileit penna mewn bywyd: 'cianu yndê!' a hynny mewn côr, cymanfa neu Gyfarfod Bach. Ges i fodd i fyw pan soniodd am y tŷ bach i ddau yng ngardd Hafod Oer ers talwm, lle y byddai o a'i frawd yn bloeddio canu deuawdau am oriau. Cantorion oedd ei deulu i gyd, a soprano ifanc briododd o hefyd: Annie Meirion, a bu'r ddau'n briod am 64 mlynedd. Do, mi fuon nhw'n ffraeo digon – roedd Taid yn un garw am ddeud ei feddwl – ond mae eu perthynas nhw wastad wedi bod yn un rydw i wedi ei edmygu. Dywedodd Taid ei hun un tro: ''Dan ni ddim yn deulu swslyd', ond anghofia i fyth fy modryb yn sôn am y ddau wedi mynd i'w gweld yn America, a hwythau yn eu saithdegau; doedd hi methu dod o

Taid.

hyd iddyn nhw yn unlle un bore, nes iddi sbio
drwy'r ffenest a'u gweld yn croesi'r stryd enfawr
brysur rhwng y tŷ a'r môr, law yn llaw. A bu'n rhaid
i Taid gyfadde ei fod yn mynd yn fwy 'swslyd' wrth
fynd yn hŷn.

Wedi ymddeol o ffermio'n y Gwanas, symudodd
i Ddolgellau, a dyna ddechrau cyfnod hir o seiadau
yn Nhafarn Laeth Glyndŵr. Bob dydd am 11.30 fel
wats, byddai'n un o'r criw fyddai'n cyfarfod yno
dros baned i roi'r byd yn ei le cyn mynd adre am
ginio. Hoff bwnc Taid bob Llun oedd testun pregeth
y Sul, a byddai wrth ei fodd yn trafod – a ffraeo
weithiau. Gwleidyddiaeth oedd gan amla'n gyfrifol

am godi lleisiau, a Tori oedd Taid. Er fod ei Gymraeg yn goeth a hyfryd, doedd ganddo fawr o amynedd gyda'r 'petha Cymdeithas yr Iaith 'ma,' a byddai wrth ei fodd yn codi gwrychyn y cenedlaetholwyr o amgylch y bwrdd. Ond eglurodd wrthyf un tro na fyddai neb byth yn ennill 'run ddadl, dim ond cytuno i anghytuno, ac edrych ymlaen at rownd arall, gwbl ffres y diwrnod canlynol. Pan gaeodd y milc bar, bu trafodaethau hir am adleoli'r seiat. Trafodwyd y syniad o'i gynnal yn lolfa'r Ship, ond âi Taid ddim i dafarn, dim ffiars o beryg, a'r *National Milk Bar* fu'r man cyfarfod wedi hynny.

Bu Taid yn dal i yrru tan yn ddiweddar iawn, ac er fod rheolau parcio y sgwâr wedi newid, byddai Taid yn dal i barcio yn ei le arferol, er gwaetha'r llinellau dwbl, a chafodd o byth 'run tocyn. Fe'i gwelwyd yno gan blismones newydd un tro, a gofynnodd iddo ers faint roedd o wedi bod yno. 'Dwi wedi bod yma erioed,' atebodd gyda gwên. Gofynnwyd iddo y llynedd pryd gafodd o brawf llygaid ddiwethaf. 'Dow, mae 'na ddeugain mlynedd, siŵr i ti.' Dyna banics teuluol yn syth, ac i ffwrdd â fo at yr *optician*. Ond er i hwnnw roi bob prawf dan haul iddo, roedd ei olwg yn ugain allan o ugain o hyd. Roedd ei glyw wedi dechrau mynd, a theclyn defnyddiol oedd yr *hearing aid*; byddai'n ei droi i lawr yng nghwmni pobl nad oedd ganddo affliw o ddiddordeb yn eu sgwrs.

Byddai'n dod i'r Gwanas yn aml iawn, ac am

flynyddoedd byddai'n mynnu rhoi help llaw gyda'i gribin adeg gwair. Siom fawr oedd sylweddoli na allai wneud hynny chwaith ar ôl sbel. Yn gynharach eleni, fe'i gwelais yn sefyll wrth ei gar o flaen y tŷ, yn edrych ar y ddôl a'r mynyddoedd am hir.

'Hiraeth sy gynnoch chi, Taid?' holais.

'Ia, mae'n siŵr, ond ddeuda i wrthat ti be sy'n brifo,' atebodd. 'Methu. Methu gneud petha.'

Daeth hynny i'm meddwl pan ofynnodd am fwy o ffisig, ddeuddydd cyn iddo farw. Roedd fy modryb eisiau ei roi iddo, ond mi wylltiodd yn gacwn. Roedd o'n gallu ei neud o ei hun, diolch yn fawr. Ac fe wnaeth. Doeddwn i heb sylwi ar ei ddwylo tan hynny; bysedd hirion, gosgeiddig, a chwbl gadarn er gwaetha'r boen.

Bûm yn ei gwmni cyn iddo ddechrau gwaelu o ddifri, ac fe soniodd am y fan lle bu ei fam a'i dad yn byw cyn priodi, ei fam o Lety Goegian, Hafod Oer, a'i dad o Faestryfar, Bontddu. Wyddwn i 'rioed mo hynny o'r blaen, ac ro'n i ar dân eisiau holi mwy. Ond ches i ddim cyfle. Wedyn dyma sylweddoli nad oedd yr un o'r teulu wedi ei holi'n iawn am yr hen ddyddiau – nes i mi sgwrsio gyda Larry, y gŵr o Los Angeles briododd fy modryb. Roedd o'n gwybod. Roedd o wedi treulio oriau yn holi Taid am ei blentyndod. Dyna i chi wers.

Os oes ganddoch chi daid neu nain sy'n dal efo chi, holwch nhw rŵan, cyn iddi fynd yn rhy hwyr.

11

Ro'n i wedi derbyn ers oes nad oedd gen i obaith
mwnci o gael tocyn i unrhyw gêm Cwpan Rygbi y
Byd. Doeddwn i ddim yn hapus, ond ro'n i wedi
derbyn – o fath. Ond, ew, dwi'n hogan jiami
weithia. Ges i alwad ffôn gan gyfaill, yn deud fod
ganddi docyn i mi – i'r gêm agoriadol, y gêm gyntaf
un, yr un efo Catatonia, Bryn Terfel et al. Mae'n
debyg mod i wedi swnio braidd yn . . . wel,
anniolchgar, di-hid hyd yn oed. Y gwir amdani ydi
mod i ddim cweit wedi dod i delerau â'i chynnig am
sbel. Ro'n i mewn breuddwyd. Tocyn i'r gêm? Fi?!
Ond mi ddois at fy nghoed, a derbyn, bobol bach.
Ond ro'n i'n teimlo dros ei gŵr druan. Fo oedd
wedi cael y tocyn, fo oedd fod i fynd, ond doedd y
creadur ddim yn cael colli diwrnod o waith. Dwi
mor falch mod i'n hunangyflogedig. Mae'r biliau
treth yn werth y glec pan 'dach chi jest yn gallu
codi pac a mynd i achlysur mwya gwefreiddiol y
flwyddyn; ocê 'ta, y degawd.

Yn anffodus, doedden ni ddim yn gallu cychwyn
lawr i Gaerdydd tan fore'r gêm, ac roedden ni'n
gorfod dod 'nôl yr un noson. Ond roedd modd
rhannu'r gyrru: roedd 'na dair ohonom ni â thocyn
erbyn hyn, gan fod cyfaill arall yn ddigon ffodus i
fod â thad sy'n giamstar am ddod o hyd i docynnau
sbâr ar y funud ola. Ond dwi'm yn meddwl y bydd
ei brawd yn siarad efo hi am fisoedd. Mae bywyd
yn galed weithia, tydi hogia?

Oedd, roedd hi'n bwrw glaw, ac mae'n rhaid fod 'na sêls anifeiliaid yn y rhan fwya o drefi'r A470. Mae 'na adegau pan dwi'n casáu gweld enw Ifor Williams.

Roedd canol Caerdydd yn cau am 12.00. Roedden ni'n sownd mewn traffig am 11.58. Erbyn hyn, roedden ni wedi cynhyrfu'n rhacs, ac wedi i'r traffig ddechrau symud eto, doedden ni ddim yn gallu dod o hyd i fynedfa'r maes parcio aml-lawr. Stwffio fo, dyma ddod o hyd i stryd fach dawel efo arwydd *Resident permits only* a phenderfynu y byddai'n well ganddon ni rannu'r ffein na cholli'r seremoni agoriadol. Bomio am y bwrlwm, llyncu byrgar cig oen Caron, a thoddi mewn i'r dorf. Welais i 'rioed gymaint o grysau coch. Dwi wedi dilyn rygbi i Ddulyn, Caeredin a Pharis ers ugain mlynedd, ond ches i 'rioed y fath wefr â hyn o'r blaen. A phan ges i fy nghip cyntaf o'r stadiwm, roedd fy ngên i ar y pafin. Mae o'n fendigedig. A thu mewn, mae o hyd yn oed yn well. Mud mewn edmygedd o'n i, ond ro'n i'n cael trafferth cau ceg Ann; doedd hi jest ddim yn gallu stopio ochneidio a griddfan a gweiddi 'O Waw!' ar dop ei llais, drosodd a throsodd. Mae'r lle'n enfawr, ond dwi'm yn meddwl fod y fath beth â sedd wael yno. Wel, ar wahân i seddi gwragedd y tîm oedd yn styc y tu ôl i'r corau, yn gweld affliw o ddim mae'n debyg. Bechod.

Mae'n rhaid i mi gyfadde, ro'n i'n un o'r criw oedd yn amau doethineb gwario £126m ar stadiwm, ond, dwi'n derbyn bellach ei fod yn werth pob ceiniog. Roedd pawb wedi gwirioni efo'r lle, a phan welais i fod 'na giw i le chwech y dynion, a dim ciw yn lle chwech y genod, mi rois floedd o fwynhad. O'r diwedd! Dwi wedi treulio gormod o amser yn bytheirio a cholli ceisiau ym Mharc yr Arfau i deimlo unrhyw drugaredd drosoch chi ddynion. Ydi, mae bywyd yn galed weithia. Tyff.

Roedd y seremoni yn wych, wel, i unrhyw un oedd a diferyn o waed Cymraeg ynddyn nhw beth bynnag. Allai Catatonia ddim fod wedi dewis unrhyw gân arall i'w chanu; roedd Bryn Terfel a Max Boyce yn ei morio hi, ac mi ges fy synnu gan Michael Ball. Mae'r *acoustics* yn golygu fod y dorf ym mhob pen i'r stadiwm yn gallu clywed ei gilydd ac felly'n gallu canu fel un o'r diwedd. Roedd y gwaed yn pwmpio ac ro'n i'n teimlo'n emosiynol tu hwnt. Sioe a hanner; bechod fod y gêm ddim wedi gallu cyrraedd yr un safon. Ro'n i wedi clywed yr hen bêl-droediwr soffa 'na – Dylan Llywelyn – yn cwyno ar y radio am yr holl ffỳs am gêm nad ydi o'n amlwg yn ei deall, ac ro'n i wedi fy nghorddi. Y wyneb i gwyno am goed yn cael eu dinistrio ar gyfer colofnau papur newydd – gan bêl-droediwr?! (Naci, sori, soffa-ddyn socar – y math gwaethaf.) Tydi'r *Daily Post* a phob *Daily* arall yn ddim byd ond bali ffwtbol dragwyddol. Ro'n i wedi edrych ymlaen at gêm o rygbi fyddai'n profi unwaith ac am byth mai rygbi yw gêm y nefoedd, gêm ogoneddus fyddai'n gwneud i Mr Llywelyn orfod stwffio ei feicroffon i lawr ei gorn gwddw. Ond ar ôl hanner awr, ro'n i'n gallu ei glywed yn cecian i mewn i'w glustog. Er gwaetha'r ddau gais, doedd hon ddim yn gêm i'w chofio. Ond, yn wahanol i'r tîm pêl-droed cenedlaethol, mae'r tîm rygbi'n gwybod sut i ennill, a gadewais y stadiwm a gwên ar fy wyneb.

A wyddoch chi be? Ro'n i'n falch mod i'n gorfod gadael y rhialtwch cyn deg y nos. Dwi wedi mynd yn rhy hen. Gas gen i giwio am fy swper, ac roedd 'na giwiau hirfaith i mewn i bobman a hithau'n glawio. Gawson ni stêcan hyfryd yn y Taurus yng nghwmni côr o rywle oedd yn canu'n Gymraeg ond yn siarad yn Saesneg, ac yna i ffwrdd â ni i chwilio am rywle braf i oedi cyn mynd adre. Châi neb fynd mewn i'r Hilton, a'r un oedd neges y Marriott. Ond mae gen i ffrindiau penderfynol, ac er mod i'n hongian fy mhen mewn cywilydd, cefais fy llusgo rownd pob drws ochr yn yr adeilad. Roedd 'na ddyn yr un mor benderfynol y tu ôl i bob drws wrth gwrs. Grêt, gawn ni fynd adre rŵan, plîs? Ond gwelodd y ddwy ddigywilydd fod 'na ddrws i'r clwb hamdden, ac i mewn â nhw, mwya powld, fel tasen nhw'n perthyn i'r lle ers blynyddoedd. Doedd gen i ddim dewis ond eu dilyn. A dyna ni yn y bar, ynghanol pobl siwtllyd fel Graham Price, a dow, ryw hogan fach denau mewn côt ddu. 'Dwi'm yn nabod neb,' meddai Ann. 'Wel,' atebais inna, 'ti newydd basio Cerys Mathews.'

Felly do, ges i ddiwrnod i'w gofio, ac mi ddysgais wers. Weithiau, mae'n well rhoi cynnig ar bob drws, a pheidio pwdu os na chewch chi garped coch drwy'r drws ffrynt. O, a chawson ni ddim tocyn parcio chwaith. Dim ond un peth sy'n fy mhoeni: dwi isio mynd eto. Sgynnoch chi'm ffasiwn beth â thocyn sbâr, decini?

12

Mi wnes i ystyried mynd lawr i Gaerdydd ar gyfer gêm Siapan, er nad oedd gen i docyn. Ond es i ddim, a dwi ddim yn difaru o gwbl. Oedd, roedd hi'n gêm dda, wel, oni bai eich bod chi'n cefnogi Siapan druan, ond ro'n i'n weddol hapus yn ei gwylio ar y teledu a gwrando ar Radio Cymru. Gweddol hapus, sylwch.

Y peth ydi, allwn i ddim wynebu'r daith eto. Mae Caerdydd mor ofnadwy o bell o Fethesda, a dwi wedi cael llond bol o'r bali A470 'na. Dwi wedi treulio mwy o amser yn fy nghar nag yn fy ngwely yr wythnos yma, ac mi rydw i a'r car yn dechrau teimlo'r straen. A tydi o'm yn deg.

Dwi'n derbyn mai Caerdydd ydi prifddinas Cymru, a dwi o blaid cael y stadiwm yno. Ond i fan'no yr aiff pob dim o hyn allan. Dwi'n gwybod fod y pwnc yma'n hen gŵyn ac wedi cael ei drafod hyd at syrffed pan oedd y Cynulliad yn cael ei drefnu, ond rŵan mae o'n fy nharo i fel gordd. Mae'n berffaith amlwg mai yng Nghaerdydd y bydd pob achlysur o bwys bellach, ac mi fydd yn haws i ni'r gogs fynd dros y ffin i Fanceinion. Haws oherwydd y ffyrdd a'r rheilffyrdd.

Efallai mod i wedi colli rhywbeth, ond dwi'm wedi clywed gair ers misoedd am wella'r daith rhwng y de a'r gogledd. Do, fe soniwyd am gyflymu'r trên lawr i Gaerdydd, ond mae'n dal yn rhatach a chyflymach i fynd i Lundain o Fangor. Mae'n costio £68.20 i deithio lawr i Gaerdydd ar ddydd Gwener, a £54.90 i Lundain (oni bai eich bod chi'n archebu tocyn ymhell ymlaen llaw). Tydi hyn ddim yn rhad. Mae'r Traws Cambria dipyn rhatach, ond mae'n siwrne o uffern, a dwi ddim am fynd i uffern eto cyn Dydd y Farn, diolch.

Meddyliwch braf fyddai cael rheilffordd yn mynd lawr o Fangor, drwy Borthmadog a Dolgellau, yn syth lawr heibio Llanelwedd i'r de; neu draffordd hyfrydsyth, braf, lle na fyddai trêlars Ifor Williams a loris Mansel Davies yn ddim byd ond eiliad o flobyn aneglur ar y chwith. Breuddwyd ffŵl hunanol meddech chi. Dwi'n anghytuno. Mae'n rhaid iddo ddigwydd rywbryd cyn y Mileniwm nesaf, felly waeth i ni ddechrau arni o ddifri rŵan, ddim.

Dwi'n gwybod y byddai'n rhaid croesi caeau gleision a choedwigoedd hynafol, pechu ffermwyr ac ecolegwyr, styrbio adar a bywyd gwyllt – ond ddim ond dros dro. Gosodwch dollau bob hyn a hyn, a'r elw'n mynd at gadwraeth; at warchod bywyd gwyllt, creu llynnoedd a gwrychoedd a phlannu coedwigoedd naturiol. Mi fyddai'r incwm yn sicr o gymorth i fyd amaeth.

Byddai, mi fyddai'n costio ffortiwn, ond ystyriwch faint o elw mae Camelot yn ei wneud yn flynyddol, a faint mae'r Cynulliad yn ei gostio. Mae gwledydd fel Sbaen a'r Eidal yn gwario llawer iawn, iawn mwy na ni ar eu rheilffyrdd, er enghraifft, ac maen nhw'n gofalu fod diogelwch y teithiwr yn flaenoriaeth.

Mi fyswn i'n fwy na bodlon talu mwy o drethi os oedd o'n golygu llai o ddamweiniau, gwella'r economi o fewn ffiniau Cymru, a'n bod ni'n fwy parod i fynd ar wyliau i Fôn neu Dyddewi yn hytrach na Blackpool neu Lundain. A dychmygwch cymaint haws fyddai mynd â charafán i bob Steddfod. Ac mi fydden ni'n bobl gleniach heb yr holl *road rage* rhwng Mallwyd a Rhaeadr, byddai teiars a *brake pads* yn para mwy, ac, yn bendant, mi fyddai yna lai o ddamweiniau oherwydd blinder.

Pwynt arall: mae cymaint o gymdeithasau cefn gwlad yn colli hufen eu bobl ifanc i'r Brifddinas, a dwi ddim yn gweld hynny'n newid. Ond byddai ffordd lai hunllefus yn ei gwneud yn haws iddyn nhw bicio adre'n fwy aml, does bosib. Ac efallai y byddai'n dangos iddyn nhw fod modd byw – a gweithio – yn Nhrawsfynydd a Nefyn heb golli allan yn gymdeithasol nac yn ariannol. Iawn, dwi'n gwybod mod i'n crafu am effeithiau cadarnhaol rŵan, ond dwi'n siŵr fod 'na wirionedd yma'n rhywle.

Dwi'n amau mai breuddwyd ydi hon hefyd, ond mi fyddai'n braf gallu mynd lawr i weld tîm rygbi Cymru'n chwalu Lloegr yn rhacs pan dwi'n fy wythdegau, a hynny heb boeni am erchyllterau'r A470.

13

Ges i freuddwyd dro'n ôl mod i'n sgwennu'n hapus a chynnes wrth fy nghyfrifiadur ac yn gallu gweld golygfa hyfryd o'r môr drwy ffenestri Ffrengig crand. Mi ddeffrais gyda gwên fel giât a theimlo mod i wedi cael gweledigaeth bwysig. 'Dach chi'n gweld, yr unig beth fedra i ei weld drwy'r ffenest tra mod i'n sgwennu hwn ydi wal, a wal ddigon hyll hefyd. Dwi wedi byw yn fy mwthyn bach gwyngalchog ers blynyddoedd rŵan, ac mae nhraed i'n dechrau cosi eto: un am grwydro fues i 'rioed.

Mi benderfynais chwilio am dŷ yn agos at y môr – neu fe wnâi golygfa o lyn neu fynydd y tro – rywle yng Ngwynedd, rywle lle y gallwn i gyfrannu at gymdeithas leol – Gymreig. Ia, 'dach chi'n iawn, breuddwyd ffŵl. Mae 'na gymdeithas dda ym Men Llŷn, a thai bach hyfryd. Ond, mae tai Pen Llŷn yn ddrud, yn ddrutach o beth coblyn na'r rhan yma o Fethesda. Mae 'na arwyddion yn ffenestri'r arwerthwyr tai: 'WANTED: HOUSE WITH SEA VIEW AND GARAGE ON THE LLEYN PENINSULA.' A 'dach chi'n gallu deud mai pobl wedi ymddeol neu bobl sy'n gallu fforddio tŷ ha ydyn nhw. Fysa gen i ddim gobaith.

Ewch i lawr yr arfordir, a'r un ydi'r stori. Erbyn Harlech, mae'r iaith wedi newid, ac mae'n gwaethygu drwy'r Bermo a byngalos Tywyn. Ro'n i'n gwybod hyn – fel'na fu hi ar arfordir Meirion ers blynyddoedd – ond mae'n ddychrynllyd erbyn hyn. Ac mae 'na batrwm: mae 'na bâr o'r Midlands yn ymddeol i fyngalo yn rhywle fel y Friog, ac mae un partner yn marw. Maen nhw wedi bod yn byw mewn bybl bach ac yn nabod fawr neb, mae'r teulu filltiroedd i ffwrdd ac mae'r adran gymdeithasol yn gorfod gofalu amdanyn nhw. Pam na wnaiff arwerthwyr tai rybuddio'r bobl 'ma cyn iddyn nhw symud?

Mae 'na batrwm arall: un teulu o Wolverhampton yn symud i mewn i hen ffermdy mewn pentref gwledig, ac yn mopio. Felly mae'r chwaer a'i theulu'n prynu tŷ wrth ymyl, yna'r brawd a'i deulu. Cyn pen dim, mae'r iaith ar iard yr ysgol fach yn uniaith Saesneg. Ro'n i'n arfer mynd i'r ysgol ar fws Dinas Mawddwy, ac ar wahân i un boi oedd yn deall yn iawn beth bynnag, Cymraeg oedd y sgwrs. Nid felly mae hi heddiw.

Mi benderfynais anghofio am y môr a chwilio yn agosach at adre – ro'n i'n hoffi'r syniad o ddychwelyd at fy ngwreiddiau ar odre Cader Idris. Ond bob tro ro'n i'n pasio'r siopau gwerthu tai, roedd 'na hanner dwsin o bobl mewn *fleeces* piws a sgidiau cerdded drudfawr yn rhythu drwy'r ffenest. Dywedodd yr arwerthwyr: 'Mae'n ofnadwy 'sti – does 'na jest ddim byd ar gael.' Dim byd y gallwn i ei fforddio ar hyn o bryd, beth bynnag. Mae gen i ffrindiau sydd am briodi a chael plant, sy'n chwilio am dŷ yn un o bentrefi ardal Dolgellau, ond cyflog lleol maen nhw'n ei gael, a does 'na ddim byd o fewn eu cyrraedd. Mae o wedi cael gwaith dramor bellach a hithau'n ystyried symud efo fo.

Clywais fod hen gartref taid fy nhaid yn furddun ym Mhontddu, ac es i draw am sbec. Mae 'na rywun o Amwythig wedi ei brynu ac yn ei atgyweirio i fod yn dŷ haf.

Mae'r lle'n fendigedig, a 'dach chi'n gallu gweld aber afon Mawddach a chlywed afon Tryfar yn canu i lawr y cwm. Roedd 'na deulu Cymraeg wedi ceisio ei brynu, ond roedd gan hwn fwy o bres.

Deallais fod tai sy'n cael eu gwerthu oherwydd fod y perchnogion wedi mynd yn fethdalwyr, yn cael eu hysbysebu dros Glawdd Offa yn hytrach nag yn lleol. Mae angen i'r bobl sydd mewn grym edrych ar yr arferiad yma, a rhoi stop arno cyn gynted â phosib.

Mae Gerallt Lloyd Owen wedi'i dallt hi ac wedi llwyddo i grynhoi'r holl sefyllfa dorcalonnus i un cwpled:

> Fesul tŷ nid fesul ton
> Daw y môr i dir Meirion.

Mae o'n codi blew eich gwar yntydi?

Ond mae 'na ochr arall i'r geiniog. Hen ffermdy sy'n ddim ond llwyth o gerrig bellach yw Llety'r Goegen. O fan'no y daeth yr hen ddresal a'r cloc Taid sy'n y Gwanas ac mae ceisio dychmygu aelwyd gynnes a thipian y cloc ynghanol y rwbel yna yn ddigon i dorri calon. Pa un sydd waethaf tybed? Gweld y tŷ yn adfail, wedi ei golli am byth, neu weld rhywun estron wedi ei atgyfodi a'i gadw'n fyw? Mae'r ddau yn brifo.

Mae 'na ddigon o Gymry sy'n ennill cyflogau breision bellach. Prynwch y tai 'ma, da chi, a gosodwch nhw am rent teg i deuluoedd lleol nes y byddan nhw'n gallu fforddio prynu rhywle eu hunain. Ateb llawer mwy adeiladol na'u gweld yn llwch.

14

Efallai fod rhai ohonoch chi wedi sylwi mod i wedi bod yn dawel iawn yn ystod y drafodaeth am iaith y cyfryngau. Ond ro'n i'n gwrando ac yn darllen a phwyso a mesur 'dach chi'n gweld. A rŵan dwi am fentro deud sut dwi'n ei gweld hi.

Radio Cymru i ddechrau: dwi'n ffan mawr o'r gwasanaeth erioed. Ges i fy magu ar *Helô Bobol* a Gari Williams, roedd *Sosban* Richard Rees yn rhaglen y byddwn i a fy ffrindiau yn gwrando arni'n ddi-ffael, a Radio Cymru, nid Radio 1, oedd ymlaen gan amlaf yn fy stafell yn y coleg. Roedd o'n beth naturiol i'w wneud oherwydd fod fy nheulu'n gwrando drwy'r dydd, bob dydd. Bob amser brecwast, byddai'n rhaid crensian ein cornfflêcs yn dawelach oherwydd fod Dad eisiau clywed rhyw eitem neilltuol.

Nid felly mae hi acw erbyn hyn. Y teledu sy mlaen y funud mae *Post Cynta*'n gorffen, ac wedyn mae Mam yn anghofio popeth am y radio ac yn cicio'i hun oherwydd ei bod wedi colli eitem ddifyr ar raglen Hywel Gwynfryn neu wedi anghofio'n llwyr am *Dalwrn y Beirdd* neu *Beti*. Mae'r un peth yn digwydd i mi, ond dwi'n cael blas mawr ar *Radio Wales* a *Radio 4*. Nid yr iaith sydd ar fai, ond natur y rhaglenni. Ydyn, 'dan ni'n gwbod, maen nhw'n apelio at rai. Digon teg. Fedrwch chi ddim plesio pawb. O ran iaith y cyflwynwyr, mae pethau wedi gwella'n arw, a hyd yn oed Beks yn defnyddio termau Cymraeg yn gwbl naturiol bellach. Ond mae'r dewis o gerddoriaeth yn chwarae rhan allweddol yn y penderfyniad i beidio gwrando. Iawn, efallai fod y corau Cerdd Dant a'r canu clasurol wedi mynd yn fwrn ar ambell un erstalwm, ond o leia roedd yr arlwy'n amrywiol. Roeddech chi'n clywed Tynal Tywyll drws nesa i Gôr Meibion Llanelli, a Ffa Coffi yn syth ar ôl Washington James, ac mi ro'n i wrth fy modd efo hynny. Rŵan, mae Radio Cymru y bore a'r pnawn yn *Old Opry* pur. O leia, mae'n teimlo felly. Does gen i ddim yn erbyn John ac Alun na Doreen, ond mae gormod o bwdin yn ddigon i wneud i ferch dagu. Mae popeth yn ystod y dydd yn 'ganol y ffordd' a dwi wedi 'laru. Dwi'n ysu am glywed y ddau begwn eithaf bob hyn a hyn. Tydi'r iaith ddim yn fy mhoeni gymaint, ond ar un amod: os am chwarae cân Saesneg, gadewch iddi fod yn gân werth ei chlywed. Ac os ehangu'r apêl ydi'r nod, be ddigwyddodd i fiwsig o wledydd eraill? Dwi wrth fy modd gyda rhaglen Haf Wyn, er enghraifft; mae ganddi ddewis arbennig o amrywiol, ac ar ddiwedd pob rhaglen, dwi'n teimlo mod i wedi dysgu rhywbeth, ac mae hithau'n gymeriad a hanner, sy'n help. Mae monologau John Hardy'n taro deuddeg bob tro hefyd: Cymraeg naturiol, gonest, a sgriptio da. Mwy os gwelwch yn dda. Ac mae 'na raglen cyn *Elinor* ar nos Sul hefyd – *Canu Cloch* dwi'n meddwl – gyda rhywun gwahanol yn dewis y miwsig bob tro. Grêt, dwi wrth fy modd yn gyrru i gyfeiliant fel yna. Ond mae gen i gŵyn: weithiau, mi fydda i'n ymuno â'r rhaglen ar ei hanner, a does gen i ddim syniad pwy sydd wrthi; a cha i ddim gwybod chwaith – does 'na neb yn eu henwi ar ddiwedd y rhaglen. Sy'n fy arwain at gŵyn arall: dwi'n prynu'r *Radio Times* bob wythnos er mwyn dewis be i'w wylio a be i wrando arno, ac er fod 'na baragraffau hirfaith a diangen am raglenni cyfarwydd, does 'na byth sôn am bwy fydd ar *Beti a'i Phobol* nac *Elinor*, na *Canu Cloch*. A dyna be dwi am wybod!

Ar y cyfan, dwi'n teimlo fod yr arlwy'n araf bach yn symud yn ôl at yr hen ffordd, gyda rhaglenni trafod, mwy sylweddol yn ennill eu tir unwaith eto. Ond does 'na'm digon. Tydan ni ddim yn genedl ddwl o bell ffordd, ac mae cymaint o'r 'werin' yn canu'r un gân â mi.

Mae rheswm yn deud mod i'n mynd i gwyno fod 'na'm digon o sylw'n cael ei roi i lyfrau a dramâu, felly dwi'n gwneud hynny rŵan. Plis gawn ni ryw fath o *Silff Lyfrau* yn ôl? Pobl yn dweud eu barn yn onest am yr hyn sy'n cael ei gyhoeddi; awduron yn trafod eu gwaith, ac yn cael digon o amser i wneud hynny, nid rhyw *sound-bite* rhwng dwy gân sy'n gyfieithiadau o Nashville.

Mae ein theatrau ni'n wag oherwydd fod pobl ddim yn cael gwybod be sy'n werth i'w weld. Oes, mae 'na adolygiadau mewn cylchgronau, ond gan amla, erbyn i ni ddarllen rheiny, mae'r daith wedi bod. Y bore wedi'r perfformiad cynta ydi'r amser i daro, cyn naw os yn bosib, ond does 'na neb byth yn adolygu drama ar y radio bellach. Fe welais i *Sundance* Theatr Bara Caws yn ddiweddar, a gwirioni arni, ond doedd 'na'm sôn amdani, ar wahân i hysbysebion yn y papurau. Os ydi'r wasg yn derbyn pres o'r hysbysebion hyn, oni ddylen nhw fod â'r cwrteisi i gynnwys adolygiad wedyn?

Mae gan S4C raglen sy'n rhoi sylw i'r celfyddydau, *Y Sioe Gelf*, ond tydi honno ddim ymlaen yn gyson 'chwaith, ac mae'r celfyddydau'n faes eang iawn. A phwynt arall: mae 'na brinder affwysol o bobl sy'n sgwennu ar gyfer y theatr, ond mae 'na domen yn sgwennu ar gyfer *Pobol y Cwm*. Ydi, mae teledu'n talu'n well, ond mae 'na brinder talent yn fan'no hefyd. Pam na fedr y cwmnïau teledu gydweithio gyda'r theatrau i feithrin awduron, rŵan fod nawdd TAC wedi darfod? Yn sicr, mi ddysgith rhywun gymaint mwy o weithio ar ddrama lwyfan na llenwi'r bylchau deialog mewn sgript sebon. Mi gân nhw fwy o ryddid hefyd. Y llwyfan oedd man cychwyn Meic Povey a Mei Jones wedi'r cwbl.

Mi fûm yn gwrando ar Gerallt Lloyd Owen a Dic Jones yn darllen eu cerddi ym mar Theatr Gwynedd yn ddiweddar. Roedd y lle'n orlawn, ac roedd hi'n noson wefreiddiol, a phobl o bob oed wedi mwynhau'n arw. Mae gan bobl ddiddordeb mewn clywed beirdd a llenorion yn darllen a thrafod eu gwaith; tydan ni i gyd ddim am gael ein 'dumb-downio' (oes 'na rywun wedi bathu gair Cymraeg?) diolch yn fawr. Ond mi fyddai'n help i hyrwyddo'r nosweithiau hyn tase'r cyfryngau'n rhoi sylw teg ymlaen llaw. Roedd 'na weithgareddau gwych yn rhan o Ŵyl ym Mangor yn ddiweddar, ac oeddwn, ro'n i'n un o'r pwyllgor, a do, mi ges i fy siomi gan y gynulleidfa ar gyfer ambell ddarlleniad, ac ydw, dwi'n flin. Ond roedd pawb fu yno wedi gwirioni. Eich colled chi oedd hi, gyfeillion!

Dwi wedi crwydro oddi ar y llwybr braidd yndo? Dyna fu fy hanes ar gefn ceffyl erioed.

15

Dwi newydd orffen llyfr difyr iawn – *Travels in an Old Tongue* gan Pamela Petro, ac mae o wedi rhoi cymaint i mi gnoi cil drosto.

Americanes o New England ydi Pamela, mae'n ei thridegau ac yn dipyn o gymeriad. Yn 1983, aeth i Brifysgol Llanbedr Pont Steffan i ddilyn cwrs yn yr Adran Saesneg. Gwirionodd ar Gymru a'r iaith

Gymraeg, ac er gwaetha'r ffaith fod rhai o'r academyddion Saesneg yn credu fod ei *'smittenness with the Welsh language a little unseemly,'* aeth ati i ddysgu'r iaith. Wedi pum mlynedd o rygnu arni a sylweddoli na allai hyd yn oed gynnal sgwrs ffôn gall drwy gyfrwng y Gymraeg, roedd hi'n dechrau gwylltio. Clywodd fod 'na Gymry ym Mhatagonia, ac wedi holi mwy, dyma ddeall fod 'na Gymry dros y byd i gyd. Felly penderfynodd dreulio pum mis yn teithio i bedair gwlad ar ddeg i gyfarfod â'r Cymry alltud, sgwrsio efo nhw yn Gymraeg a chyhoeddi llyfr yn croniclo'u hanes. Syniad hurt? O bosib, ond bobol bach, mae'n llyfr da, ac mae hi'n sgwennu'n fendigedig. A diolch iddi hi, dwi wedi dysgu cyfrolau am hanes fy ngwlad fy hun a nifer o wledydd eraill, ac wedi gwerthfawrogi ambell gerdd oedd yn gwbl ddiarth i mi.

Mae hefyd wedi gwneud byd o les i mi sylweddoli yr uffern mae dysgwyr yn mynd drwyddo i ddysgu iaith sy'n dod mor hawdd i ni. Mae hi'n disgrifio sefyllfa anodd fel a ganlyn:

Dychmygwch eich bod yn disgwyl eich tro mewn swyddfa bost rhywle yng nghefn gwlad Cymru. Y tu ôl i chi, mae llinell hir sy'n troelli y tu draw i'r fynedfa, yn hen ddynion mewn cotiau brethyn cartref, pob un yn pwyso ar ffon ac yn creu sŵn tagu yng ngwaelodion ei gorn gwddw; ffermwyr persawrus gyda welintyns yn gacen o ddail gwartheg; mam gyda thri phlentyn anystywallt; ac o leiaf un hen wreigan yn diodde dan bwysau parsel anferthol. Mae eich tro chi'n dod a 'dach chi'n camu at y ffenest. Mae'r clerc yn codi ei aeliau yn barod i gyflawni eich dymuniad yn ddidrafferth. Ydach chi'n deud: 'Um, bore da.' Clirio'ch llwnc. 'Um, ga fi, no, um, gai, uh, brynu stamp os gwelwch chi'n dda?' Neu ydach chi'n deud: 'Good morning. May I have a stamp please?'

Dallt yn iawn, Pamela.

Mae hi mor onest, mae fel cael eich waldio efo gordd weithiau. Ro'n i'n teimlo'n arw dros y bobl sy'n cael eu henwi am beidio â bod yn glên efo hi. Atgoffa rhywun o eiriau George Orwell, pan ddywedodd o mai un o'r pethau sy'n symbylu rhywun i sgwennu ydi i dalu'n ôl i rhywun sydd wedi eich pechu. Grêt!

Cyn cychwyn ar y daith, daeth Ms Petro ar draws Americanwr sydd wedi creu cwrs dysgu Cymraeg ar y we. Aeth ato am sgwrs, ond wedi 45 munud, allai hi yn ei byw â deall yr un gair. Roedd hi ar fin torri ei chalon, pan ddigwyddodd o sôn ei fod wedi dysgu Cymraeg drwy ddarllen y Beibl. Ac yna creu cwrs sy'n cael ei astudio gan gannoedd o ddysgwyr?! Oes, mae 'na ambell un go ryfedd yn penderfynu ceisio bod yn Gymro.

Ac un o'r cwestiynau sy'n aros yn y cof wedi darfod y llyfr ydi: 'Be sy'n gwneud rhywun yn Gymro neu'n Gymraes?' Ateb un o Gymry sbectol binc Siapan oedd: 'Gwyleidd-dra. Bod yn onest.' '*Being unpretentious*' oedd y geiriad gwreiddiol, a dwi ddim yn meddwl fod gwyleidd-dra cweit yr un peth. Ac yn anffodus, dwi ddim yn meddwl ein bod ni bellach yn haeddu'r fath ddisgrifiad beth bynnag, ddim o bell ffordd.

Byddai'r ex-pats 'ma'n aml yn deud wrthi: 'O, mae'n rhaid i chi gyfarfod hwn-a-hwn – *he's very Welsh.*' Be'n union mae hynna'n ei olygu? Dwi'n cofio rhywun yn deud wrth grŵp Gwyddelig yn Sesiwn Fawr Dolgellau: '*And this is Bethan; she's terribly Welsh.*' '*Terribly? Sounds like a disease,*' meddai un ohonyn nhw.

Mi wnes i chwerthin yn uchel yn aml wrth ddarllen am helyntion yr Americanes sy'n deud fod gan y Gymraeg '*vowel sounds so rich I'd swear they have calories*', ond mi ges fy nghorddi hefyd. Er enghraifft, pan ddywedodd un Gymraes (di-Gymraeg) wrthi: '*There's a power elite of Welsh speakers who've virtually taken over the country . . . But you can't have a multicultural society and keep all the best positions for a tiny minority of Welsh-speakers. That's like internal colonialism.*'

Ond mi wnes i fwynhau ymateb Pamela:

'*Now there's a thought: the Welsh colonizing their own country in their own language . . .*'

Darllenwch y llyfr yma, a rhowch gopi i bob newydd-ddyfodiad yn y cylch.

16

Mae'n gas gen i gyfadde hyn, ond fi ydi'r math o berson mae'r archfarchnadoedd mawrion wedi ei deall i'r dim. Mi wna i unrhyw beth am fargen. Mi gafodd hynny ei brofi pan es i mewn i Tescos mawr Bangor dim ond i brynu torth fach wen, a dod oddi yno wedi gwario £80. Ocê, ella mod i'n byw ar fy mhen fy hun ac yn golchi llestri dim ond pan fydda i wedi rhedeg allan o fygiau glân, ond mae cael dwy botel fawr o *Fairy Liquid* am bris un yn fargen. Mi fydda i'n iawn rŵan tan 2005.

Pan fydd 'na *BOGOF* (*Buy one get one free*) ar bapur tŷ bach (na, arhoswch funud, tydyn nhw byth yn cynnig hynna ar bapur tŷ bach: *BTwoGOF* ydi o) ond pan fydd 'na gynnig arbennig fel'na, dwi'n llenwi'r troli efo nhw, a phawb yn meddwl fod gen i salwch ofnadwy, ac am fisoedd, mae'n rhaid ymladd drwy'r petha jest i agor drws y lle chwech. Mae fy nghyfeillion yn meddwl mod i'n hurt. Bosib eu bod nhw'n iawn.

Ydw, dwi'n un o'r bobl 'ma sy'n mynd o gwmpas Tescos efo llond troli o nwyddau efo marciau melyn *Reduced* arnyn nhw. Ac yn aml, maen nhw'n nwyddau nad oes gen i mo'u hangen o gwbl, ac maen nhw'n hanner pris oherwydd fod neb arall wedi gweld eu hangen chwaith. Ac yn amlach na pheidio, mae 'na reswm da dros hynny, sef fod cacen hufen efo stwffin o kiwis a grenadine a phistachios yn afiach. Neu, mae'r pethau ar fin pasio eu dyddiad trengi. Ond dwi'n prynu'r rhain beth bynnag, oherwydd mod i angen rhywbeth i swper – ac maen nhw'n 'fargeinion' wrth gwrs. Ond ar ôl cyrraedd adre, dwi'n gweld fod gen i ddewis o bedwar swper sydd ar fin pydru, a does 'na 'run o'r diawlied yn addas i gael eu rhewi. Felly dwi'n bwyta un – efallai ddau. Pam 'dach chi'n meddwl mod i ddim fel styllan? A dwi'n cadw'r lleill at 'fory. Ond erbyn i mi flasu'r rheiny, mae'n rhy hwyr, mae nhafod i'n protestio'n syth a mol i'n cwyno jest efo'r ogla, ac mae'r 'fargen' yn mynd i'r bin. Dwi'n cynnig y petha 'ma i'r gath yn gynta, ond mae hi'n sbio arna i gystal â deud: 'Ti 'di cael dy neud eto'n do? Asgob, ti'n pathetic,' ac yn cerdded fel Mae West am y gathfflap.

Dwi wedi bod fel hyn erioed. Mi yrrais fy llythyr cyntaf erioed efo stamp hanner ceiniog arno, er fod pris stamp ail ddosbarth ar y pryd yn ddwy geiniog a hanner. Do'n i ddim ar frys, eglurais wrth y posmon. A dwi'n cofio dod 'nôl o sbri siopa ym Mhorthmadog pan o'n i tua 14, efo'r ffrog hylla mewn bod. Dwi'n cofio ei dangos i Mam a fy chwaer, a'r ddwy jest yn rhythu arna i mewn braw. Rŵan, do'n i ddim yn Kate Moss bryd hynny chwaith, ac roedd y ffrog 'ma yn union fel treiffl, un pinc a phiws efo'r *ruffs* echrydus 'ma bob pum modfedd. Ro'n i'n edrych fel eliffant mewn drag. 'Ond Mam! Dwi wedi safio £30!' Wisgais i 'rioed mohoni.

Mae fy ngarat yn llawn o ddillad tebyg a

brynwyd ar sêl. Maen nhw mor hyll, mi fethais eu
gwerthu mewn sêl cist car am 50c yr un. A rŵan,
mae gen i ormod o gywilydd i fynd â nhw i Oxfam.
Ond dwi wedi callio lle mae dillad yn y cwestiwn.
Wel . . . dwi'n well nag o'n i, dwi'n meddwl. Ro'n
i'n trafod hyn gyda nghyfoedion yn ddiweddar, a
'dan ni wedi dod i'r casgliad fod y rhan fwyaf o
ferched yn gweld y goleuni rhyw dro wedi pasio
deg ar hugain; agosach at y deugain yn fy achos i.
Dyna pryd rydan ni'n dod i ddeall be sy'n ein siwtio
a be sydd ddim, a dyna pryd sylweddolais i y
byddwn i'n gwneud ffafr fawr â phawb tase
mhengliniau i byth yn gweld golau dydd eto. Ac os
welwch chi fi allan mewn crys-T tynn a legins
lycra, saethwch fi. Maen nhw'n siwtio rhai, ond dwi
ddim yn un ohonyn nhw. Efallai eu bod nhw'n iawn
ar ferched efo coesau ciw snwcar, ond coesau'r
bwrdd snwcar sydd gen i. Mi brynais bâr hyfryd o
fwtsias lledr hirion sydd bron â chyrraedd y pen-
glin, tua chwe mlynedd yn ôl a tydyn nhw ddim
gwaeth. Mae gen i ofn deud wrthach chi faint dalais
i amdanyn nhw, hyd yn oed ar sêl. Ond dim ond
unwaith wisgais i nhw 'dach chi'n gweld. Ro'n i'n
gwybod eu bod nhw'n dynn am fy nghoes i pan
brynais i nhw, ond mi benderfynais y bydden nhw'n
llacio gydag amser. Ha! Ar ôl awr, mi fu'n rhaid i
mi eu tynnu – do'n i'n methu teimlo nhraed.
   Mae fy nrôr cyllyll a ffyrc yn llawn o ddarnau o
gerdyn wedi eu torri oddi ar focsys Cornfflêcs ac
ati, *coupons* a ryw 'nialwch tebyg ar gyfer prynu

rhywbeth cwbl didangen am £1.99, ond dwi byth yn cael digon ohonyn nhw mewn pryd beth bynnag. Ond maen nhw'n handi iawn ar gyfer glanhau y craciau bach anghyraeddadwy o gwmpas y popty.

Hurt? Fi?! Darbodus, efallai. Dwi'n beio fy Mam; hi blannodd yr hadyn ynof fi. Fydden ni byth yn cael oren nac afal cyfan yr un pan oedden ni'n blant; roedd yn rhaid rhannu un rhwng y pedwar ohonom. Dyna be oedd gofyn am drwbl: tri yn sgrechian *First pick!* yr un pryd, cega pwy ddywedodd o gynta, protestio fod un darn yn fwy na'r gweddill a chrio a thynnu gwallt mwya ofnadwy wedyn. Fe gafwyd trefn yn y diwedd, cyn i ni gyd foeli: penodi un i dorri'r ffrwyth, a hwnnw neu honno fyddai'n cael y dewis olaf o'r chwarteri. Byddai'r broses o fesur a thorri yn para am oes wedyn, debyg iawn; pren mesur a phob dim weithiau. Ond mi fydden ni'n gwneud i chwarter afal bara gweddill y pnawn, yn sugno a chnoi fel wiwerod, nes roedd Mam bron â mynd yn hurt.

Dwi'm yn meddwl y gwna i newid bellach, a pha angen gwario ar ornaments drudfawr efo dwsinau o boteli shampŵ o amgylch y bath a rhes o soldiars *Fairy Liquid* ar sil ffenest y gegin?

Dwi'm yn hollol ddwl.

17

Mae gen i rywbeth yn gyffredin â Gyles Brandreth. Yn ôl un o'r papurau Sul, mae o'n cadw dyddiadur yn ffyddlon ers oedd o'n naw oed, ac mi fedra inna ddweud yr un peth. Mae'r un cyntaf hwnnw yn dal gen i: *Letts Disneyland Diary*, un oren gyda Mickey Mouse a Donald Duck ar y clawr. Mae'n un eitha hawdd i'w ddarllen, e.e:

Ionawr 1af: Euthum i hel calennig a cawsom focs o orenau a pump swllt.

Ionawr 13: Roedd dim llawer o bethau wedi digwydd heddiw.

Mawrth 6: Torrais ffenest hefo pêl. Torrodd Llinos a Glesni goes gwely. Aeth Mam dros gath ddu hefo car. Dad mewn tymer ddrwg.

Ebrill 29: Cefais fath.

Mai 8: Cefais piano lessons. Gwnaes fy home-work.

Mehefin 6: Cefais ffeit gyda Christopher. Mae o'n hyll.

Newydd-ddyfodiad o Blackpool oedd Christopher, ac roedd o'n gallu rhedeg yn gynt na fi. Do'n i ddim yn hapus.

Mae 'na fwy o fanylder yn fy nyddiaduron erbyn hyn wrth gwrs, ond dwi ddim yn pasa rhannu'r cynnwys efo chi. Roedd y diweddar Alan Clark yn cadw dyddiadur hefyd mae'n debyg, a dwi'n hoffi'r rheol roedd o'n cadw ati, a dwi'n rhy ddiog i geisio cyfieithu: *The rule of the four 'I's: a diary should be immediate, indiscreet, intimate and indecipherable.*

Yn anffodus, os ydyn nhw mewn côd, 'dach chi'n anghofio be oedd y bali côd, felly mae rhannau helaeth o ddyddiadur 1974 yn rwtsh llwyr hyd yn oed i mi. Ond ro'n i wedi cael llond bol o chwiorydd a chnitherod yn cael hwyl garw yn darllen fy nghyfrinachau, toeddwn? Anghofia i byth y tro hwnnw pan wnes i ddal Llinos fy chwaer a Gwawr fy nghyfnither yn pori drwyddo, er gwaetha'r rhybuddion mawr ar y clawr: *Read this and you will die*! Bron iawn i hynny gael ei wireddu. Dwi ddim yn colli fy nhymer yn aml, ond pan fydda i'n ffrwydro, ew, mae'n ffrwydriad. Dwi'm yn meddwl i'r un o'r ddwy feiddio busnesa ar ôl y gyflafan honno. Dyna'r rheol bwysicaf un ynglŷn â chadw dyddiadur go iawn: mae'n rhywbeth preifat. Perthynas rhyngoch chi a'r llyfr ydi o, a neb arall. Dyddiadur 'go iawn' i mi ydi un sy'n cynnwys pob dim, sy'n dal dim yn ôl, sy'n cael gwybod y pethau na feiddiech chi byth eu rhannu gyda neb byw. Mae 'na rai'n cadw dyddiaduron mwy ffeithiol, sy'n cynnwys 'run gair am deimladau personol; digon teg, diben gwahanol sydd i ddyddiadur felly.

Felly be ydi pwynt cadw dyddiadur 'go iawn?' Yn ôl Mr Brandreth, mae'n gwneud iddo deimlo'n fwy byw, yn fwy ymwybodol, '. . . mae o fel sbio yn y drych i wneud yn siŵr eich bod chi'n dal yno.' Cytuno i'r carn. Mae'n anodd egluro'r peth, ond mae hynna'n o agos ati dwi'n meddwl.

Mae'r ddisgyblaeth ei hun yn llesol, ac unwaith y daw'r cofnodi'n ail natur i chi, mae o bron fel cyffur. Pe bai rhywun yn fy rhwystro rhag cadw dyddiadur, mi fyddwn yn torri nghalon. Ac mae colli un yn artaith. Ges i fy mygio yn Rio de Janeiro yn ystod haf 1991, ac roedd fy nyddiadur yn y bag. Golles i fymryn o bres, do, ond y dyddiadur oedd y golled fwya, yn enwedig gan fod 1991 wedi bod yn flwyddyn mor amrywiol, a minnau wedi mynd 'nol i'r coleg i ddysgu bod yn athrawes. Oes, mae gen i atgofion, ond fedar yr ymennydd dynol byth gofio bob dim; dyna pam fod darllen eich hen ddyddiaduron mor ddifyr.

Mi fydda i'n pori drwyddyn nhw bob hyn a hyn, ac yn cael modd i fyw. Ges i sioc mod i'n gymaint o ast fach hunanol pan o'n i'n bymtheg, rhaid cyfadde, ac mae fy rhieni'n haeddu medal am fagu'r fath hunllef – ac yn enwedig un oedd yn mynnu sgwennu'n Saesneg a hwnnw'n Saesneg comics llawn '*coz*' a '*gonna*' a '*heckish nice*'. Dwi'n gwingo wrth ddarllen.

Wedi pori drwy ddegawd arall, dwi'n cael braw hynod addysgiadol o weld pa mor ddall ro'n i i bethau sy'n gwbl amlwg wrth ddarllen y ffeithiau flynyddoedd yn ddiweddarach. Mae cadw dyddiadur yn sicr yn eich galluogi i nabod eich hun yn well. Gall hefyd fod yn ddefnyddiol iawn ar gyfer sgwennu llyfr. Fyddwn i byth wedi gallu cyhoeddi *Dyddiadur Gbara* oni bai mod i wedi cadw dyddiadur mor ffyddlon am ddwy flynedd yn

Nigeria. Dwi'm yn cofio pwy ddywedodd: 'Cadwch ddyddiadur: fe allai eich cadw chi ryw ddydd.' Wnaiff o byth 'gadw' neb sy'n cyhoeddi yn Gymraeg, ond mae'n bres poced handi iawn.

Mae'n siŵr fod rhai yn dweud fod dyddiadurwyr yn bobl sydd â gormod o ddiddordeb ynddyn nhw eu hunain. O bosib, ond os nad oes ganddoch chi rywfaint o ddiddordeb ynoch chi eich hunan, allwch chi ddim disgwyl i bobl eraill eich cael chi'n ddifyr chwaith.

Oscar Wilde, un o'r bobl fwya difyr erioed, ddywedodd: 'Fydda i byth yn teithio heb fy nyddiadur. Dylid bob amser bod â rhywbeth syfrdanol i'w ddarllen ar y trên.'

Sy'n fy arwain at gwestiwn ofynnwyd i mi'n ddiweddar: Be ydw i'n mynd i'w wneud efo'r cofnodion 'ma i gyd pan fydda i wedi marw? Wel, a bod yn gwbl onest, fyddwn i ddim callach, na fyddwn?

Ond o ddifri – dwi ddim yn gwbod. Efallai y dylwn i roi'r cwbl dan glo, a rhoi'r goriad i guddio tan 2050 – rhag ofn. A dod 'nôl fel ysbryd ffrwydrol i boenydio pwy bynnag fyddai'n meiddio sbecian cyn hynny.

18

Ges i brynhawn Sul bendigedig. Roedd fy mhen i'n troi ar ôl bod yn gaeth i sgrin y cyfrifiadur am oriau, felly roedd y gwahoddiad i wylio fy nhair nith yn chwarae rygbi yn y Bala fel manna o'r nef. Dyma eu gêm rygbi gyntaf, felly roedden nhw'n nerfus, bobol bach. Ac roedd Porthmadog, y gwrthwyn-ebwyr, eisoes wedi curo Caernarfon.

Roedd 'na ddwy gêm ar yr un pryd: merched dan 14 (Blynyddoedd 9 a 10 dwi'n meddwl) a'r criw dan 13 (Blynyddoedd 7 ac 8 ac ambell un oedd yn dal yn yr ysgol gynradd). Roedd 'na dorf dda wedi dod draw, ac roedd yr awyrgylch yn wych. Mi fues i'n sgrechian a gweiddi – a chwerthin, bobol bach. Roedd y genod i gyd o ddifri, ac yn dangos sgiliau rhyfeddol, o ystyried cyn lleied o rygbi maen nhw wedi chwarae hyd yma. Roedd 'na daclo bendigedig: 'tipyn gwell na'r hogia', cyfaddefodd un tad. Roedd 'na berlau i'w clywed ar y cae hefyd: 'Ddim fel'na ti fod i daclo!' meddai un oedd wedi cael ei llorio go iawn. 'Be? Ti isio i mi ofyn plîs?' oedd ateb parod y daclwraig ddeg oed. Roedd un ferch wedi mynnu mynd i brynu tâp ar gyfer ei chlustiau. Doedd hi ddim isio clustiau fel ei thad. Ges i fodd i fyw yn gweld wynebau merched oedd newydd sgorio cais am y tro cyntaf erioed, ac ambell un gafodd ei phrofiad cyntaf o *hand-off* neu homar o dacl 'go iawn'. Ydi, mae'n goblyn o sioc y tro cynta.

Bala enillodd y tro yma, ond doedd yr un o'r ddwy gêm yn unochrog. Cefais sgwrs gydag un o'r mamau, oedd yn falch ond yn flin ar yr un pryd. Blin oherwydd na chafodd hi yr un cyfle yr oedran yna. Amen ddyweda i. Ond, fe brofwyd ar y diwedd fod 'na wahaniaeth mawr rhwng merched a bechgyn, waeth faint eu hoed. Mae bechgyn yn chwarae'n galed a chystadleuol, ac yn trin y gwrthwynebwyr fel gelynion penna, ond ar chwythiad y chwiban olaf maen nhw'n fêts. Ychydig iawn o ferched sy'n gallu gwneud hynna. Maen nhw'n cymryd y taclo a'r gwthio a'r cleisio yn bersonol. Roedd 'na rywbeth yn ddigri am ferched dan bedair troedfedd yn bygwth ei gilydd, ond roedd o'n drist hefyd. Y natur fenywaidd, mae arna i ofn. Oeddech chi'n meddwl fod merched wrth natur yn bethau bach heddychlon sidêt? Cofiwch 'hell hath no fury like a woman scorned . . .' a tydi merch ddeuddeg oed wedi cael cledr llaw yn ei thrwyn ddim gwahanol.

Mi ges f'atgoffa mod i wedi cael llyfryn bach *Men are from Mars* yn anrheg pen-blwydd – nid y fersiwn cyflawn £9.99 sydd wedi gwneud yr awdur yn filiwnydd – ond un bach £1.99. Mi ges i gip ar y gwreiddiol yn y llyfrgell fisoedd yn ôl – a'i fflingio'n ôl ar y silff reit handi, yn falch tu hwnt mod i heb gyfrannu at ffortiwn dyn sy'n sgwennu'r fath rwtsh. Mae'r John Gray 'ma wedi gwerthu 786,846 copi erbyn hyn, ac yn dal i werthu'n gyson. Dwi wedi cyfarfod ambell berson sydd wedi gwirioni efo'r cynnwys, ond llawer mwy sy'n teimlo yr un fath â fi. Os nad ydych chi'n gyfarwydd â'r llyfr, neges y boi yn y bôn ydi fod dynion o blaned Mawrth a merched o blaned Fenws, a bod pobl wedi anghofio beth yw'r prif wahaniaethau rhwng y ddau ryw, a dyna pam fod cymaint o briodasau'n chwalu. Dyma i chi enghraifft: 'Mae dyn wastad eisiau profi ei fod yn athrylith, yn enwedig am drwsio pethau, dod o hyd i lefydd a datrys problemau.' Dwi'n cytuno fan'na. Faint o weithiau rydan ni ferched wedi gorfod mynd rownd a rownd mewn cylchoedd am oriau oherwydd fod y dyn wrth y llyw yn gwrthod derbyn ei fod ar goll, ac yn gwylltio'n gacwn dim ond i ni grybwyll efallai y byddai'n syniad i ni holi rhywun? Ond rydan ni i gyd yn gwybod hyn eisoes, heb orfod talu decpunt i'w weld mewn du a gwyn. Dyma i chi un arall: 'Mae'n anodd i ferch gredu fod dyn yn ei charu os ydi o'n anghofio am ei phen-blwydd.' Lol botes maip. Fel'na maen nhw ynde! Wel, y rhan fwya.

Honiad arall ydi fod dynion yn mynd mewn i 'ogof' pan fydd ganddyn nhw broblem, sef yn pellhau a bod yn bifish ac isio llonydd. Tra mae merched, medda fo, yn hollol wahanol, isio 'trafod' dragwyddol. O? Sut felly mod i'n ysu am bali ogof pan fydd dyn yn mwydro mhen i efo'i broblemau? Cyffredinoli ydi hyn, Mr Gray!

A dyna i chi: 'Pan fydd merch ddim yn teimlo fel cael cyfathrach rywiol, mae'r dyn yn aml yn camddeall ac yn teimlo'n wrthodedig.' Ond, 'Pan fydd dyn ddim yn teimlo fel cael cyfathrach rywiol, tydi o ddim yn hapus os ydi'r ferch yn ei holi am y peth. Mae'n '*instant turn-off, and might put him off sex in the future.*'

Mae 'na ddiffyg tegwch dybryd fan hyn mi deimlaf, a tydi Mr Gray ddim fel tase fo'n ystyried y gair 'hunanol' o gwbl!

Mae'n debyg fod llyfrau fel hyn yn gwerthu'n well nag unrhyw fath arall o lyfr y dyddiau hyn. Llyfrau *self-help* sy'n eich cynghori sut i fyw, sut i fod yn hapus, sut i wneud eich ffortiwn. Hyd y gwela i, yr ateb i neud eich ffortiwn ydi sgwennu'r lol eich hun. Ac mae'r busnes 'sut i fod yn hapus am weddill eich oes' yn bathetic tydi?

Tase pobol yn gwenu fel giât drwy'r dydd, yn sgipio i'r gwaith bob bore ac yn chwibanu drwy'r tŷ dragwyddol, mi fysa gweddill y boblogaeth yn mudo i ogofâu reit handi. Mae angen glaw er mwyn gwerthfawrogi'r haul, mae angen ambell ffrae er mwyn cymodi wedyn, ac mae gan bawb yr hawl i fod yn flin weithiau! A dwi ddim angen llyfr i ddeud wrtha i be i'w neud efo llyfr sydd wedi ngwylltio i'n gacwn, chwaith. Ac os ydw i wedi llwyddo i wneud i chi fod eisiau darllen y bali rwtsh 'ma o blaned arall, gwnewch ffafr â fi – benthycwch gopi – peidiwch â'i brynu, neu mi fydd o'n meddwl ein bod ni angen un arall.

19

Ro'n i'n gwrando ar Radio Cymru ar y ffordd adre nos Sul, ac mi wnes i wir fwynhau *Llwyfan*, sef pigion o Eisteddfodau'r gorffennol: gwledd o ganu corawl ac unigol, oedd yn gwneud i minnau forio canu efo nhw wrth yrru. Mi fydd hyn yn plesio Nhad yn arw, oherwydd mod i'n gwybod yn iawn nad ydi o'n deall pam fod cyn lleied o *genes* cerddorol wedi treiddio i'w blant o. Roedd o mewn cyngerdd mawreddog yn y Bala nos Sadwrn; noson waraidd a diwylliedig tu hwnt, tra o'n i ar noson cywennod (*hen night* yn ôl Bruce) yn Abersytwyth. Iawn, wnaeth o'm deud dim, ond dwi'n hen gyfarwydd â'r ffordd 'na sy ganddo fo o ddeud 'O?' ar ôl holi fy hanes. Mae'r llythyren yna'n gallu dweud cyfrolau . . .

Ond y peth ydi, 'dach chi'n gweld, taswn i'n gallu canu, mi fyddai gen i fwy o ddiddordeb mewn pethau cerddorol. Fel mae hi, tydi gwrando ar ormod o bobl dalentog efo lleisiau bendigedig yn gwneud dim ond fy ngwneud yn hollol *depressed*. Taswn i'n cael gafael ar *genie* mewn potel, a hwnnw'n deud mod i'n cael un dymuniad, mi fyddai'n agos iawn rhwng cael pengliniau newydd sy'n gweithio, a llais canu. Ond beryg mai'r llais fyddai'n ennill. Un o'r lleisiau 'na sy'n cyfareddu, sy'n gwneud i chi neidio i droi'r botwm sain yn uwch, sy'n gallu gwneud i chi grio, sy'n gyrru iasau i lawr eich cefn a bron â gwneud i chi doddi i mewn i'ch sedd. Un fel'na dwi isio. Ond, tydi bywyd ddim yn deg, a dwi'n cofio fy athrawes gerdd yn deud wrtha i mod i'n 'canu drwy fy nhin'. Doedd hynna ddim yn gwbl deg. Mi fedra i ganu alto da mewn côr, cyn belled â bod neb yn sbio arna i. Y busnes canu ar fy mhen fy hun sy'n deud arna i. Ar lwyfan, does dim ond eisiau i mi ganu nodyn, ac mae nghoes chwith yn dechrau crynu. Erbyn canol y bennill, mae nghoes i'n mynd fel dijeridw Rolf Harris, a'm llais wedi mynd ar chwâl yn rhacs.

Do'n i'm wastad fel hyn. Yng Nghyfarfod Bach y Brithdir ers talwm, ro'n i'n canu 'O Lili Wen Fach' a 'Pwsi Meri Mew' rêl boi. Ond dwi'n cofio hyd yn oed bryd hynny fod 'na ddisgwyliadau mawr. Ro'n i'n cael fy stwffio mewn i ffrog fach ddel efo *smocking* ar ei blaen hi, a ruban ar fy nghorun, a do'n i ddim yn hapus, ond ro'n i'n ufuddhau. Ond fel 'dach chi'n mynd yn hŷn, mae'r caneuon yn mynd yn uwch. Erbyn 'Mae gen i Ddafad Gorniog' roedd hi'n berffaith amlwg nad oedd talent bron bob un wan jac o'r teulu gen i. Ond roedd pawb yn gorfod rhoi cynnig arni ym mhrilims yr Urdd. Ro'n i'n mynd yn weddol tan y *'Good morning, John, how d'ye.'* Mae'r *'morn'* 'na'n uchel. Ches i ddim llwyfan.

Iawn 'ta, efallai nad oedd gen i lais, ond siawns na fedrwn i ddysgu chwarae offeryn? Ges i ddwy flynedd o wersi piano, ond ro'n i'n casáu pob munud, ac es i fawr pellach na *Pop goes the weasel*. Ges i dair wythnos o ffidil hefyd, nes i Dad gael

Dw i ddim isio canu!
Fi sydd efo'r ruban, a Llinos fy chwaer ydi'r llall.

mymryn o lond bol a bron taflu'r ffidil drwy'r
ffenest. Mae'n rhaid ei bod hi'n amlwg nad oedd
gen i lawer o botensial.

Ond roedd 'na ddisgwyliadau mawr yn yr ysgol
uwchradd. Roedd steddfod Ysgol y Gader yn
achlysur pwysig ar y naw, a'r chweched fel
fulturiaid yn hofran dros blant Blwyddyn 1, i weld
pwy oedd yn perthyn i ba dŷ. Aeth merched
Mawddach yn boncyrs pan ddallton nhw mod i'n un
ohonyn nhw. 'Merch Tom Gwanas?! Reit, ti'n neud
yr unawd soprano . . .' Mi wnes i drio egluro, ond
wnaethon nhw'm gwrando. Roedden nhw'n difaru
wedyn . . .

Dwi wedi sôn o'r blaen mai 'Bara Angylion
Duw' ydi fy nghas gân i yn y bydysawd. Mae ei
chlywed hi hyd heddiw yn artaith pur oherwydd

Fy nhad, enillydd Ruban Glas, nid llai!

mod i'n cofio'r profiad hwnnw o'i mwrdro hi o flaen llond neuadd o bobol oedd yn cynnwys Nain a Taid. Mi geisiodd y cyfeilydd ddod lawr octef neu ddau er fy mwyn i, ond hyd yn oed wedyn, mi fedra i ddeud a'm llaw ar fy nghalon na chlywyd erioed y fath berfformiad gwirioneddol boenus – i'r gynulleidfa, y beirniad, a minnau. Ro'n i'n gallu gweld wynebau'r gynulleidfa'n glir, wynebau oedd yn gwingo, fel 'tai'r polo mints yn eu cegau wedi troi'n hanner pwys o halen, ac ro'n i'n gwbod mai'r peth calla fyddai rhoi'r gorau iddi'n syth a cherdded oddi ar y llwyfan gyda mymryn o urddas, ond allwn i'm stopio, roedd 'na rywbeth yn fy ngorfodi i fynd drwyddi hyd y diwedd. Wnes i'm ennill.

Pethau felly sy'n mynd drwy fy meddwl pan fydda i'n gwrando ar gantorion da, a dyna pam na fydda i'n mynd i gyngherddau cerddorol yn aml. Ond, dwi ddim yn gwbl anobeithiol chwaith; dwi'n gallu deud yn eitha pwy fydd yn ennill mewn 'steddfod, ac mi wnes i wirioni efo Dmitri Hvorostovsky yng nghystadleuaeth Canwr y Byd – ie, y bariton hwnnw o Siberia gurodd Bryn Terfel. Mae'n ddrwg gen i, Bryn, ond doedd gen ti'm gobaith y noson yna. Tase'r ddau yn gorfod cystadlu eto, mi fyddai'n agos, ond roedd Dmitri uwchlaw pob dim yn ystod y gystadleuaeth yna, ym mhob ffordd. Ro'n i yno – wedi prynu tocyn y munud glywais i ei lais o ar y teledu – ac mi wirionais yn bot. Toddi? Does ganddoch chi'm syniad. Mi wnes i hyd yn oed brynu llyfr a chasét *Learn Russian in 9 days* – jest rhag ofn. Ond ges i lond bol ar ôl cyrraedd y wyddor, ac mi briododd Dmitri.

Mi sticia i at ganu yn y car dwi'n meddwl.

20

Un o'r synau sy'n rhoi pleser o'r mwya i mi ydi sŵn llwyth o lythyrau yn disgyn drwy'r blwch llythyrau. Mae 'na wastad obaith fod 'na lythyr go iawn yn eu mysg, er gwaetha'r ffaith mai biliau neu *junk mail* ydyn nhw gyd gan amla. Ond yn ail agos mae sŵn y papur Sul yn rhoi coblyn o 'thwac' ar y llawr teils. Yr *Observer* ydi o fel arfer. Mae 'na rywbeth braf mewn trefn wythnosol yndoes? Ffling i'r darnau busnes a chwaraeon, setlo ar y soffa efo'r prif newyddion a phaned, yna symud ymlaen at y *Review*, cyn gorffen efo *Life*. Ac mae 'na ddarnau o'r rheiny dwi wastad yn eu darllen yn ofalus, tra dim ond pori drwy eraill fydda i. Am ryw reswm, dwi wastad yn darllen y golofn 'Pwy ddywedodd be?' yn drylwyr, efallai oherwydd fod y print yn fwy, erbyn meddwl.

Dyfyniad Ken Livingstone darodd fi tro 'ma: '*There are those in London who never seem to have heard of Wales.*' O? Pryd ddywedodd o hynna a pham? Dwi eisiau gwybod mwy. Mae o'n llygad ei le yn anffodus. Mi oedais am 'chydig, i dreulio'r dyfyniad, ac yna dal ati i bori drwy'r tudalennau.

Anaml fydda i'n darllen colofn Phil Hogan. Ges i

'rioed flas arno fo, a dwi'm yn or-hoff o olwg y boi chwaith. Mae 'na rywbeth amdano fo sy'n fy atgoffa o Wil Carling, rhywbeth am y geg a'r llygaid gor-hyderus. Ond dwi'n ryw how-sganio y paragraff cynta rhag ofn, ac os ydi hwnnw'n cydio, mi wna i ddal ati i ddarllen. Os nad ydi o, wna i ddim. Mae gen i gyfrifiadur yn hymian a gormod o waith yn sgrechian arna i i wastraffu amser yn darllen rhywbeth diflas (Fel y byddwch chitha efo'r llyfr hwn mae'n siŵr. Digon teg.) Tydi ei baragraff cynta'n gwneud dim i mi, fel arfer, felly dwi'n paratoi i droi at y dudalen nesa.

Ond mae fy llygaid yn cael eu hoelio gan frawddeg mewn italics ar y gwaelod.

Dow? Cymraeg? Mae'n dweud: 'Llythyru cas Cymraeg i:' a'i gyfeiriad e-bost. Dyna sut mae cosi chwilfrydedd. Wrth reswm, mae'r boi wedi deud rwbath cas amdanon ni tydi? Dwi ddim yn darllen y golofn, ond dwi'n chwilio am y gair *Welsh* neu *Wales* yn syth, a dyma fo:

'Suddenly, there's the sound of someone being violently ill, but it's just someone speaking Welsh . . .' Doniol iawn, Phil. Dwi'n dal ati i ddarllen. Mae'n debyg fod 'na griw teledu yno, a merch yn siarad Cymraeg yn uchel mewn i'r meicroffon. *'Still,'* meddai Phil, *'it's lovely to see them keeping a dead language alive in the year 2000 and I resolve, there and then, to start speaking Latin at home.'*

Nid y math o beth dwi isio'i ddarllen ar fore Sul braf. Ac i rwbio halen i'r briw, mwy o'r un peth yn

Y Cymro ddeuddydd wedyn: erthygl gan ryw Bruce Anderson yn y *Spectator* yn llawn jôcs defaid. Felly dyna'r sefyllfa drist sydd ohoni. Un ai tydyn nhw ddim wedi clywed amdanon ni, neu maen nhw'n meddwl ein bod ni'n jôc sâl neu ecsentrigs swnllyd ond pathetig sy'n perthyn mewn amgueddfa. Dwi'n teimlo'r ysfa ryfedda i weld Sian Lloyd a Stifyn Pari yn rhoi homar o sws gyhoeddus a gwlyb i Mr Hogan a Mr Anderson. Dwi awydd eu gwahodd nhw a'r llipryn arall A.A. Gill 'na i dreulio diwrnod efo plant Ysgol Dyffryn Ogwen, neu i eistedd yn y gynulleidfa pan fydd pobol ardal y Parc yn perfformio dramâu byrion, neu i noson fel Stomp efo rhywun fel Geraint Lövgreen a 'beirdd' lleol yn y *Goat*, Penygroes. Na, nid achlysur mawr fel Eisteddfod Genedlaethol, ond gweithgarwch go iawn, di-gamera, efo pobol go iawn yn mynd drwy eu bywyd bob dydd neu jest yn mwynhau mewn ffordd gwbl Gymreig a hollol naturiol.

Ond wedi i dymheredd fy ngwaed ddod lawr fymryn, bron nad ydw i isio diolch i Mr Hogan a'i ddebyg. Oni bai am bobl fel fo, mi fydden ni'n hapus braf yn ein bybls bach a'n tyrau eifori, yn meddwl fod yr iaith yn ddiogel, a'n bod ni fel cenedl yn dechrau gwneud ein marc ar y byd. Mae angen pobl fel fo i'n deffro efo cic iawn yn ein penolau.

Mae'n f'atgoffa o'r adeg es i â chriw o blant am wyliau i Ffrainc. Roedd 'na rai ohonyn nhw'n mynnu siarad Saesneg bob gafael, er eu bod nhw'n Gymry ac yn mynychu ysgol oedd i fod yn un Gymraeg. Does 'na'm byd mwy penstiff na merch bymtheg oed. Ond daeth y ddwy fwya penstiff ata i un diwrnod, yn goch fel tomatos ac yn berwi â chynddaredd: 'Miss!' meddan nhw, gan bwyntio at y gŵr o Lerpwl oedd yn gofalu am y pwll nofio. 'Mae'r dyn yna'n gneud hwyl am ein penna ni!' 'Pam?' holais innau. 'Am ein bod ni'n Gymraeg!' meddan nhw, bron â chrio. Allwn i ddim peidio â gwenu, a bron na wnes i ysgwyd llaw y gŵr dan sylw. Dyna'r tro cynta i'r ddwy yna siarad Cymraeg efo mi o'u gwirfodd. A Chymraeg fuon nhw'n ei siarad – yn arbennig o uchel – am weddill y gwyliau. Rhyfedd o fyd.

Gyda llaw, cyfeiriad e-bost Mr Hogan ydi: phil.hogan@observer.co.uk

(Derbyniodd Mr Hogan fflyd o gŵynion yn sgil cyhoeddi'r golofn hon yn yr Herald!)

21

Dyna ni, dwi wedi ei wneud o, a does 'na ddim troi 'nôl rŵan. Dwi wedi arwyddo bob dim. Erbyn y Pasg, mi fydda i'n berchen tŷ yn sir Feirionnydd. Naci, nid yn y Blaenau, mae'n ddrwg gen i Mr Vivian Parry Williams, ond 'nôl yn 'fy mhatch' i: rhwng y Brithdir a Rhydymain. Dyna brofi fod y busnes dyfal doncio 'ma'n gweithio ynde?

Ond lwc mul oedd hi. Roedd fy Mam wedi sôn wrth fy modryb Margaret sy'n byw yn Nyffryn

Ardudwy mod i'n chwilio am dŷ wrth ymyl y môr, a chwarae teg iddi, mi aeth hi o gwmpas bob asiant tai yn Harlech a'r Bermo i nôl llond gwlad o fanylion tai addas. Ac yng nghanol y cwbwl, roedd y tŷ yma – tŷ dwi wedi'i basio filoedd o weithiau, ac wedi hoffi ei olwg ers pan ro'n i'n fychan – a jest y math o dŷ y byddai bobl ddiarth yn ei fachu'n syth. Ond roedd hi'n Ddolig diolch i'r nefi, a fawr neb o gwmpas. Mi es draw i'w weld, a mopio. 'Dach chi'n gwybod y teimlad 'na 'dach chi'n ei gael pan 'dach chi jest 'yn gwbod'? Wel, mi brofais y teimlad hwnnw, a mynd amdani'n syth bìn. Mae pawb sydd wedi'i weld efo fi ers hynny yn gorfod cytuno: 'Mae o'n chdi.' Mae'n anodd gweld y môr o Rydymain, ond mae afon Wnion gystal bob tamed.

Tydi o ddim yn dŷ mawr, ond mae hynny'n golygu na fydd raid chwilio am ddodrefn tydi? A llai o waith glanhau wrth gwrs. Mae mrawd a'i wraig yn byw jest dros yr afon, ac mae'r ffrind gafodd ei bedyddio yn yr un dŵr â mi, ychydig gaeau i ffwrdd, a'i phlant yn edrych ymlaen at gael dod i ngweld i ar eu beics. Ac mae Nhad wedi deud y byddai'n handi ar gyfer paned. Mi fydd hynny'n beth mawr, gan mod i wedi bod yn berchennog tŷ ers dros ddeuddeg mlynedd, un yng Nghlydach a hwn ym Methesda, a ches i 'rioed y fraint o wneud paned iddo fo yn yr un o'r ddau le. Ddim isio busnesa oedd o, mae'n siŵr. Tydi o'm yn un am osod silffoedd beth bynnag. Ond does wybod rŵan, a finnau mor agos . . . ond os eith hi i'r pen, dwi'n

91

siŵr y ca i fenthyg ei focs tŵls o. Ac mae'n anffodus mod i'n symud ar ganol y tymor wyna wrth gwrs. *Que sera . . .*

Symud i Sbaen mae'r perchennog presennol, i fod yn agosach at ei merch, ac mi ges lythyr hyfryd ganddi'n ddiweddar, yn deud ei bod hi'n falch fod ei thŷ hi'n mynd yn ôl *'to a true Welsh Lady . . .'* Peidiwch â chwerthin. Dwi'n gallu bod yn rêl ledi pan dwi isio.

Felly mae 'na gyfnod newydd arall yn fy mywyd i ar ddechrau. Dwi newydd orffen y bali sgript 'na hefyd, felly dwi'n teimlo reit fodlon fy myd, er mod i'n gwbod nad ydi'r diweddglo cweit yn iawn, ond mater o dwtio fydd hynny. Mi gymera i fy amser i dwtio nghartre newydd, does 'na'm angen brysio rŵan. A dwi'n edrych ymlaen yn arw at gael gosod fy nghyfrifiadur yn y llofft gafodd ei phenodi'n syth fel swyddfa gen i. Mae ynddi ddwy ffenest, felly digon o olau, ac mi fydda i'n sbio allan ar 'Y Gwyllt' sy'n goed ac adar a'r nant fechan ddela 'rioed, nant sy'n pasio reit heibio'r tŷ a thrwy'r ardd. Pan fydda i'n golchi llestri, mi fydda i'n gallu clywed ei sŵn yn rhaeadru heibio, ac mae hynny'n well na sŵn tonnau'r môr tydi?

Ydw, dwi'n rhamantydd, ac ydw, dwi'n gwbod nad ydi bywyd yn mynd fel wats. Mi fydda i'n colli Bethesda'n arw, a Thescos, waeth i mi gyfadde. Dwi'n siŵr o gael cyfnodau o ddiawlio'r gost a'r problemau sydd wastad yn codi efo hen dŷ. Ond mi fydda i adre. Ac yn agosach at Gaerdydd, i gael mynd i gefnogi'r tîm rygbi, gan mod i wedi sylweddoli eu bod nhw'n tueddu i ennill pan dwi'n mynd i'w gweld nhw. (Naddo, dwi'm wedi bod ers tro.) Felly dyna'r ateb i broblemau Graham Henry – fy mhenodi i fel mascot a rhoi tocyn am ddim i mi bob tro.

Yn y cyfamser, oes gan rywun ffansi prynu tŷ bach hyfryd a llawn cymeriad yn nhopiau Bethesda?

22

Dwi ddim yn un am siopa. A deud y gwir, mae'r syniad o dreulio diwrnod cyfan yn llusgo o un siop i'r llall yn rhywle fel Caer yn swnio fel uffern.

Mae'r daith yno yn hir, mae dod o hyd i rywle i barcio yn boen, mae'r lle'n orlawn a'r siopau'n grasboeth. Dwi'n casáu'r stafelloedd newid, ac mae 'na rywbeth mawr o'i le efo'r drychau 'na. Ac mae gorfod newid bob bali munud yn boen ynddo'i hun.

Mae 'na ormod o sŵn a ffaffian ymhobman, ac ymhen dim, mae mhen i'n brifo, mae nhraed i'n sgrechian a dwi isio mynd adre. A gan amla yn waglaw, felly be oedd y pwynt?

Ond mae pawb yn honni fod merched wrth eu bodd yn siopa, mai mynd i siopa i deimlo'n hapusach wna merch, tra mynd ar ei ben i'r dafarn agosa wna dyn. Mae 'na fwy a mwy o ddynion â'r tueddiad yna, mae'n wir, ond does bosib nad y fi ydi'r unig ferch sy'n gallu meddwl am ffyrdd gwell o godi calon na rhuthro o un siop i'r llall?

Dwi wedi bod yn darllen llyfr ofnadwy o ddifyr yn ddiweddar: *The Whole Woman* gan Germaine Greer. Dyna i chi ddynes. Doeddwn i erioed wedi darllen un o'i llyfrau hi o'r blaen, ond ro'n i'n gwybod fod y Wasg yn ei disgrifio fel rêl *feminist*, rêl dreiges sy'n casáu dynion, wedi iddi gyhoeddi *The Female Eunuch* ddeg ar hugain o flynyddoedd yn ôl. Mae'n debyg fod 'na ddynes wedi ei galw hi'n bob enw hyll dan haul ar Radio 4 yn ddiweddar – dynes, sylwch. Un o'r ansoddeiriau oedd 'hyll', ond pan ofynnodd Ms Greer a oedd y ddynes 'ma wedi'i gweld hi erioed – nagoedd, ond roedd hi'n 'gwybod ei bod hi'n hyll'. Sens yn deud mai dim ond merched hyll sy'n sefyll dros hawliau merched, tydi?

Mae hi'n ddynes hynod o smart fel mae'n digwydd, ond tydi ffaith felly ddim yn bwysig. Bob tro dwi wedi ei chlywed yn traethu, mae hi wedi swnio fel dynes hynod gall a rhesymol i mi. Ecsentrig efallai, ond clyfar. Ac mae'r llyfr yma'n glyfar, bois bach. Ac mae hi'n flin. Hi, yn bendant, ydi *Ms Angry*, ac mae darllen yr hyn sydd ganddi i'w ddeud am restr hir o bynciau yn ymwneud â merched yn gwneud i minnau wylltio hefyd.

Dyna i chi'r bennod sy'n delio gyda siopa: pan na fydd merch yn gweithio, mae'n gweithio'n y tŷ, neu'n gweithio ar y busnes siopa 'ma. Mae'n debyg mai merched sy'n prynu 80% o bob dim gaiff ei werthu. Dyw dynion ddim yn siopa, ddim hyd yn oed am bâr o drôns. Maen nhw'n prynu pethau fel papur newydd a phetrol, mor sydyn â phosib, ond tydyn nhw ddim yn siopa. Chwilota, dod o hyd i fargeinion, gwaith y ferch ydi hynny. Mae dynion yn prynu ceir, cyfrifiaduron, offer chwaraeon, miwsig a chamerâu, ac mae merched yn prynu popeth arall, fwy neu lai. Er fod y rhan fwya o ddynion yn gorfforol gryfach na merched, merched sy'n cario'r bagiau siopa trymion. Mae'r cwmnïau moduro yn targedu merched â cheir bychain *hatchback*, rhad (dyna be sydd gen i) efo'r ddelwedd o allu dianc a bod yn annibynnol, ond ceir ar gyfer siopa ydyn nhw yn y bôn. Pan fydd Ruby Wax yn gwerthu car i ferched, yr hyn mae'n ei werthu mewn gwirionedd ydi *glorified shopping trolley*.

Mae dillad dynion, gan amlaf, wedi eu gwneud i bara blynyddoedd, a bron nad oes disgwyl addasu'r dillad hynny i ffitio'r cwsmer, tra mae merched i fod i ffitio mewn i be sydd ar gael, ac mae be sydd ar gael o ansawdd tipyn is. Brynes i drowsus dyn i mi fy hun dro'n ôl – mae'r gwahaniaeth yn rhyfeddol, o ran ansawdd a phris.

Mae merched wedi cael eu cyflyru i feddwl fod siopa yn adloniant pur, mai tretio'ch hun ydach chi wrth ymuno â hanner cant o ferched eraill ar fws i Gaer neu Lerpwl. Ond mae siopa mewn gwirionedd yn waith caled, sy'n cael ei ddysgu i ni yn ifanc iawn. Catalogau ydi cylchgronau merched ifanc mewn gwirionedd, yn llawn hysbysebion lliwgar o bethau na ellir gwneud hebddyn nhw, yn symud yn llechwraidd o raddol o ddillad Sindy i ddillad 'go iawn'.

Ond, meddai Germaine, os ydi o'n gymaint o hwyl, pam fod archfarchnadoedd wastad mor llawn o ferched blin, sy'n cega ar eu plant ac yn amlwg dan straen?

Amen, Germaine, medda fi. Ond, wedi deud hynny, pan o'n i'n ofnadwy o flin a digalon wsnos dwytha, mi es i ar fy union i Landudno yndo, a gwario ffortiwn yn M&S a Morgan. Ac o'n, dwi'n cyfadde, mi ro'n i'n teimlo'n well. Ond nid 'siopa' ro'n i, ond prynu – mi wnes i'r cwbl yn rhyfeddol o gyflym 'dach chi'n gweld, felly ro'n i'n teimlo'n hynod hunangyfiawn a doedd gen i ddim cur pen.

Ond bore 'ma, ges i fil y cerdyn credyd. Aw.

23

Mae hi'n nos Sul a dwi'n teimlo fel brechdan wlyb. Mi fues i'n Iwerddon am y gêm. Nid am y penwythnos, neu mi fyddwn i yn fy ngwely yn hytrach nag yma o flaen y cyfrifiadur, ond am y dydd. Gadael Bangor am saith fore Sadwrn (ddoe?! Mae'n teimlo fel pythefnos o leia.) a chyrraedd 'nôl ryw dro tua un, dwi'n meddwl – dwi'm yn cofio –

ro'n i'n cysgu. Dwi wedi bod i Ddulyn am ddiwrnod sawl tro, ond nid am gêm ryngwladol. Mae f'ymweliadau 24 awr gan amlaf yn achlysuron mwy hamddenol, coffi Gwyddelig yn *Bewleys'* yn gynta, a chinio braf, *manyana*-aidd yn y *Café Rouge*, cyn crwydro Stryd Grafton yn gwrando ar y byscars – a weithiau'n mentro mewn i siop. Bob tro roedd 'na gêm, ro'n i'n mynd am y penwythnos, ond roedd y tro diwethaf i mi wneud hynny ddwy flynedd yn ôl yndoedd?

Dwi'm yn siŵr be sydd wedi digwydd yn ystod y ddwy flynedd yna, ond mae 'na dunnell o egni wedi mynd i rywle. Dwi allan o bractis yn arw, dwi'n cyfadde, wedi treulio'r rhan fwya o benwythnosau o flaen y cyfrifiadur yn hytrach na bod allan yn cymdeithasu. Ond dwi'n dal i fethu dod dros y ffordd dwi'n teimlo.

O'n, ro'n i'n flin mod i am y tro cyntaf erioed wedi methu cael tocyn i Lansdowne Road, ac wedi gorfod crwydro'r ddinas yn chwilio am rywle lle allen ni weld sgrin heb hongian o *chandelier* neu ymdebygu i estrys y tu ôl i gynhadledd o ddynion talaf Iwerddon. Bu'n rhaid bodloni efo craffu ar sgrin deledu filltiroedd i ffwrdd a cheisio dyfalu be oedd y sgôr a be oedd yn digwydd yn ôl y gweiddi. Do'n i ddim yn hapus, er ein bod ni'n ennill. Roedd fy nghyfeillion i gyd yn berffaith fodlon eu byd, wrth gwrs, yn enwedig yr un oedd wedi cyhoeddi ei bod yn feichiog. Roedden ni i gyd wedi gwirioni, wedi ei llongyfarch yn arw drwy gydol y bore, nes

iddi ddeud fod y babi wedi'i genhedlu yn Seland
Newydd, a'u bod am ei alw'n 'Rotorua' – neu Ffŵl
Ebrill . . .

Fe wnaeth awyr iach ar ôl y gêm, a cherdded
drwy'r torfeydd difyr, lliwgar, fyd o les i mi, ac mi
ddois ataf fy hun a mwynhau gweddill y diwrnod.
Ond mae un digwyddiad wedi'i serio yn y cof.
Roedden ni'n llifo allan o dafarn yn rhywle, fel
roedd criw o fechgyn ifanc, golygus yn llifo i
mewn. Ann a minnau oedd y ddwy olaf i adael, jest
mewn pryd i glywed un o'r Adonisiaid yn dweud
am ein criw ni: '*They were nice!*' Ann a minnau'n
gwenu ar ein gilydd. '*Yes,*' meddai ei gyfaill, '*in
their younger days . . .*'

Tydi bywyd yn greulon 'dwch? A dyma ddarllen
colofn yn yr *Observer* heddiw, yn sôn am
heneiddio, am yr holl bobl ganol oed sy'n pregethu
eu bod nhw'n teimlo'n 22 tu mewn, a'ch bod chi
'ddim ond cyn hyned â 'dach chi'n teimlo'. Ia, ia.
Dwi wedi'i ddeud o ganwaith fy hun, a rŵan dwi'n
gweld mai jest rhoi pen estrys yn y tywod ydi
hynna. Mae'n f'atgoffa o'r olygfa 'na yn *Shirley
Valentine* pan mae'r Groegwr yn deud wrth Shirley
y dylai hi fod yn falch o'i *stretchmarks*, fod pethau
felly yn dangos ei bod hi wedi byw, bla bla bla, ac
mae Shirley'n deud mwya ffwrdd â hi: 'Tydi dynion
yn malu awyr 'dwch?'

Ges i un o'r negeseuon e-bost cylchlythyraidd
'na'n ddiweddar, efo rhestr o bethau y dylai pob
merch ei gael, fel set o sgriwdreifars, dril di-gordyn

98

a bra du, rhywiol. Tic, tic, tic. Ar yr un rhestr mae: 'ieuenctid mae hi'n hapus i'w adael ar ôl . . .' Ym . . . ocê ta. Os oes raid i mi. Tic.

24

Mae'n swyddogol . . . dwi mewn cariad. Dwi 'rioed wedi teimlo fel hyn o'r blaen, ac mae mhen wedi troi'n lobsgows. Mae'n deimlad hollol, gwbl, anhygoel.

'*This is it*,' ys dywed y Sais a'r Cymro. Fedar neb na dim arall gymharu.

Mae chwant ar yr olwg gyntaf wedi troi'n gariad pur ac oesol, ac mi ddylai pawb deimlo fel hyn. A be sy'n anhygoel ydi ei fod wedi digwydd ar ôl dim ond tair noson.

Ydw, dwi mewn cariad llwyr efo nghartref newydd.

Ro'n i'n gwybod ei fod o'n hyfryd, neu fyddwn i ddim wedi ei brynu, ond ar ôl symud y mymryn lleia o mhethau i mewn, a byw yno am benwythnos, mae'r berthynas wedi datblygu y tu hwnt i bob rheswm.

Ro'n i'n gorfod eistedd ar y llawr er mwyn closio at y tân oherwydd diffyg soffa, ro'n i'n gorfod bwyta fy swper efo llwy de oherwydd mod i wedi anghofio dod â ffyrc, mae 'na we pry cop ymhobman, a darnau amheus a thywyll ar y papur

Ffrwd y Gwyllt o ben draw'r ardd.

wal mewn ambell gornel, a phlastar yn byblo ar waliau eraill, mae'r simdde'n gollwng a dwi newydd gael bil y bobl trin twll pry, ond dwi wedi mopio.

Daeth fy chwaer a'i phlant draw am y tro cyntaf ddydd Sadwrn, ac maen nhwtha wedi gwirioni hefyd, ac ar binnau isio dod am wyliau ata i – fory. A'r noson gyntaf un, mi ges sioc ar fy mhen ôl . . . er ei bod yn hwyr, er ei fod wedi blino ar ôl bod rownd y defaid, mi benderfynodd fy Nhad ei fod yntau am ddod draw. Ac mi aeth adre yn gwenu. Ond efallai fod a wnelo'r gwin coch rywbeth â hynny. Dyna be sy'n braf am symud tŷ – mae pobol yn dod ag anrhegion i chi. Mae'n rhaid i mi gofio mynd â mwy o wydrau efo fi tro 'ma. Mae'n embaras gorfod disgwyl i rywun orffen ei ddiod a throi at y *Fairy Liquid* cyn gallu cynnig gwydr i'r nesaf.

Ond tydi Dad ddim wedi gweld yr ardd eto, a dyna'r *pièce de résistance*. Mae'n hen, hen ardd ar bedwar teras, efo planhigion bendigedig a nant yn sisial ei ffordd drwyddi. Tipyn o waith torri gwair, ond mae'n iawn am sbel. Doedd hi ddim yn gynnes iawn y penwythnos 'ma nagoedd? Ond allan yn yr ardd y ces i fy *Frosties* bore 'ma – a fan'no mae pawb yn mynd â'u paneidiau. Ydw i wedi dechrau codi cyfog arnach chi? Tyff.

Ond be darodd fi fwya oedd bod heb deledu. Roedd hyd yn oed y criw cŵl yn eu harddegau fel mwncwn yn y coed, yn potsian yn y nant efo Daniel oedd wedi dod â'i welintyns yn sbeshal, yn rhyfeddu at yr adar a'r nythod, yn tyllu ar ôl y twrch daear oedd newydd wneud ei farc ar fy lawnt i. A phan aeth hi'n rhy oer, roedden nhw'n darllen ac astudio lluniau, ac yn gwrando ar gerddoriaeth, heb unwaith swnian eu bod eisiau chwarae ar y cyfrifiadur neu wylio'r teledu. A be welais i yn yr *Observer* ddydd Sul? Y pennawd bras: '*Computers rot our children's brains: expert.*' Mae 'na seicolegydd addysg o'r UDA wedi deud mewn cynhadledd Rhiant Plentyn 2000 y dylai rhieni gyfyngu ar yr amser mae eu plant yn ei dreulio ar gyfrifiaduron ac o flaen y teledu. Rydan ni wedi amau hyn ers tro, ond rŵan mae'n ffaith eu bod nhw'n gallu amharu ar ddatblygiad meddwl plentyn. Yn hytrach na 'byw mewn bywyd dau-ddimensiwn a di-her' fe ddylen nhw siarad a chwarae ac ymwneud mwy â phobl a phethau o'u cwmpas. Lol ydi'r busnes 'ma y dylai fod gan bob plentyn gyfrifiadur yn yr ysgol ac yn y cartref. 'Chwarae ar yr hormon "euogrwydd" sydd ymhob rhiant ydi ceisio dweud na fydd gan eu hepil obaith o gael swydd os na chaiff gyfrifiadur erbyn ei fod yn dair oed,' meddai Dr Jane Healy.

Mae'n debyg fod 'na goleg yn Watford yn cynnal cyrsiau cyfrifiadur ar gyfer plant 18 mis oed. Ie, 18 mis. Maen nhw'n dysgu am siapiau, lliwiau a geiriau syml trwy gyfrwng sgrin. Ond be sydd o'i le efo lliwiau a siapiau bywyd go iawn? Ydi hyn yn golygu mai cyfrifiadur fydd yn dysgu plant y dyfodol i siarad, yn lle'r teulu? Mae'r peth fel hunllef, neu ffilm erchyll.

A dyna Tony Blair wedi bod yn gwneud sioe fawr o'i addewid i gael pob ysgol yn y Deyrnas Unedig ar y we. Efallai y dylai o wrando'n ofalus ar eiriau Dr Healey: 'Mae'r rhan fwya o'r meddalwedd 'ma yn gwneud mwy o ddrwg nag o les.'

Ac ar ôl y penwythnos 'ma, dwi'n gwbod na fydd y plant 'cw'n dewis sbio ar focs pan ddown nhw i aros efo Anti Bethan. Hyd yn oed wedi i'r set deledu ddigidol gyrraedd. Ia, teledu.

Dowch laen, mae 'na ambell raglen sy'n werth ei gweld weithiau wedi'r cwbl.

25

Mae pethau wastad yn edrych mor hawdd ar *Changing Rooms* tydyn? Ond mae ganddyn nhw bobl sy'n gwybod be maen nhw'n neud yndoes? Y saer bach cocni yna yn un. O, am gael ei weld o ar stepan fy nrws heno â'i forthwl yn ei law.

Rhyfedd tydi? Breuddwyd genod bach (ers talwm, pan oedd dod o hyd i ŵr i fod yn nirfana) oedd priodi doctor neu chwaraewr rygbi. Gwrandewch, genod, syniad callach o lawer ydi bachu saer/plymar/trydanwr/adeiladwr sy'n gwneud y cwbl, neu sydd o leia'n nabod saer/plymar/ trydanwr yn dda. O leia mi fyddwch chi'n gwybod lle i ddod o hyd iddyn nhw, ac yn gallu deud a ydyn nhw'n malu awyr pan fyddan nhw'n deud: 'Na, mae hi reit dawel arna i ar hyn o bryd fel mae'n digwydd,' neu: 'Fydda i yna fory, garantîd.'

Fel sawl un arall, mae'n rhaid i mi gadw at *deadlines*, neu cha i mo nhalu. Fedar athrawon ddim dysgu un criw heddiw, a gadael y lleill i aros tan wsnos nesa (bosib, dibynnu ar y tywydd) fwy na allai llawfeddyg adael claf yn gwaedu ar ganol llawdriniaeth ar y galon i gychwyn ar chwe chlaf arall ('un falf wedi'i gwneud, mi wna i'r lleill ymhen y mis').

Ond, mae pawb isio byw, am wn i.

Nid mod i'n hen ast ddiamynedd. Mae 'na dipyn i fynd cyn y bydda i'n 40. Ond mi ges i ffrae efo'r plasterbordiau neithiwr. Hen bethau oriog, cas ac annifyr. Maen nhw'n edrych yn ddigon diniwed, ond mae corgis yn gallu edrych felly hefyd, tydyn?

Egluraf: mae gen i gyfaill sy'n hen law ar y busnes DIY 'ma, wedi gwneud y cwbl, yn hynod effeithiol. Fo ddywedodd y byddai hi'n hawdd i mi drin y distiau derw 'ma fy hun. Iawn, mi wnes i fwynhau waldio'r tunelli o artex i ebargofiant, ond roedd gen i help (a lager). Mi wnes i hyd yn oed eitha mwynhau tywallt y stwff i'r sgip, ar ôl gweithio allan sut i gael berfa i fyny at y cyfryw sgip yn y lle cynta. Roedd hi'n hwyr iawn, iawn, ac yn dywyll bitsh, felly doedd 'na'm peryg fod neb yn gallu ngweld i wrthi. Mi gofiais fod adeiladwyr 'go iawn' yn defnyddio darn o bren i wthio'r ferfa i fyny'n ddigon pell i'w wagio'n daclus i mewn i'r sgip. Doedd gen i ddim styllen solat, gall, ond roedd gen i rywbeth eitha tebyg. Braidd yn gul o bosib, a gwantan, na allai wrthsefyll fy mhwysau i a'r ferfa, ond mi rois gynnig arni. Mi osodais y ferfa reit wrth droed y styllen, ond mi wrthododd symud 'run fodfedd yndo? Aha. Cofiais fymryn o ngwersi ffiseg. *Propulsion*, hwnna ydi o. Felly dyma fagio'n ôl rai llathenni a rhedeg. *Eureka*. Mi weithiodd. Hedfanodd y ferfa ar i fyny, heb drafferth yn y byd. Nes iddi gyrraedd y top. Ro'n i wedi aros ar y gwaelod. Syniad da, rhag ofn i'r styllen dorri. Ond, roedd fy nhraed o boptu'r styllen. Oes raid i mi egluro ymhellach?

Ta waeth, ar ôl pwdu a phendroni dros baned boeth, mi lwyddais i gael trefn ar bethau, drwy ddefnyddio dull nid annhebyg i'r ffordd fyddai merched yn marchogaeth ceffylau ers talwm. Dwi'm yn hollol ddwl.

Ond sôn am y 'ffrind' 'ma ro'n i. Mi ddeudodd o fod gosod plasterbordiau rhwng distiau yn hawdd. Oedd, mae'n siŵr, i rywun oedd â distiau perffaith syth, fel sydd ganddo fo. Mae fy nistiau i'n atgoffa rhywun o Mae West.

Iawn, aeth y *batons* pren i'w lle yn gymharol hawdd, gyda chymorth fy mrawd a'm chwaer-yng-nghyfraith. Fe gafodd y ddwy ohonom wers lifio. Ew, hwyl. Enghraifft arall o rywbeth sy'n gweithio'n well dim ond i chi beidio trio'n rhy galed. Dyna lle roedd Nia a minnau'n dechrau gwylltio, a dyma lais hamddenol Ger yn dod o'r distiau: 'Paid â phwyso arni, gad i'r lli wneud y gwaith . . .'

Wel, am wahaniaeth. Roedden ni'n torri drwy'r *batons* fel menyn wedyn, yn trafod gymaint mwy defnyddiol fyddai gwersi gwaith coed wedi bod i ni'n yr ysgol na sut i wnïo ffedog *gingham* a gwneud *coconut pyramids*. Dwi eto i gyfarfod rhywun sy'n mwynhau bwyta *coconut pyramids*. Na rhywun gafodd unrhyw fudd allan o'i ffedog *gingham*.

Roedd gosod y *polystyrene* rhwng y distiau wedyn yn hwyl, hyd yn oed os ydw i'n dal i ddod o hyd i beli bach gwynion yn fy ngwallt a nillad gwely. Ond y plasterbord . . . Os nad ydach chi'n gyfarwydd â'r stwff, mae o fel brechdan o blastar

brau rhwng dau ddarn o garbod hynod denau – a
sensitif. Ac mae waldio am i fyny yn anodd, jest y
peth os 'dach chi isio cric yn eich gwar. Un
morthwyliad cam, ac mae ganddoch chi batrwm y
lloer ar eich nenfwd. Bob tro ro'n i'n rhoi cynnig
arni, byddai'r plastar yn llifo allan, a doedd Ger
fawr gwell. Wedi malurio a chwysu a gwylltio'n
gacwn, penderfynwyd mai'r hoelion / pren oedd ar
fai, ac mae'r plasterbordiau anferthol 'ma'n dal i
bwyso – yn gyfan – yn erbyn y wal, mewn cawod o
beli *polystyrene*. A fan'no gân nhw aros nes daw 'na
rywun call draw, pan fydd y tywydd yn troi. Pan
fydd yr Wyddfa'n gaws.

Ac os ofynnith Mam eto, pam na wnes i brynu
byngalo bach newydd sbon . . . mi fydd fy amynedd
di-ben-draw yn dechrau pallu ychydig. Jest y
mymryn lleia.

26

Mi ges dipyn o fraw o ddeall mai 'Cymry Cymraeg
o ddewis' yw dysgwyr bellach, yn ôl defod Medal y
Dysgwyr yn y Steddfod, beth bynnag. Onid ydi'r
busnes cywirdeb gwleidyddol 'ma wedi mynd
fymryn bach yn rhemp dudwch? Be sydd o'i le
efo cael eich galw'n 'ddysgwr', sydd wedyn yn
datblygu i fod yn 'wedi dysgu'?

Cefais f'atgoffa o stori welais i'n y wasg yr un

wythnos: fod pwyllgor rywle yng Nghernyw wedi penderfynu na ddylid gofyn am *Spotted Dick* i bwdin. Y term gwleidyddol gywir bellach ydi *Richard*. Dwi'm yn ei weld o'n cydio rywsut. Be am Dic Penderyn a Dic Aberdaron? A tydi Richard Jones ddim hanner mor farddonol â Dic Jones. Digon yw digon. Gadewch lonydd i'r dysgwyr a'r Diciau, da chi. Mae bywyd yn rhy fyr i wastraffu amser yn pwyllgora (= malu awyr) am bethau mor hurt.

Wn i ddim amdanoch chi, ond dwi'n dal i ddysgu Cymraeg bob dydd. Cael fy nysgu, hynny yw. 'Mae'r angen yn hynod amlwg,' clywaf leisiau yn peswch i'w llewys gradd dda yn y Gymraeg a charafán ym mhob Steddfod. Iawn, digon teg; ychydig iawn o nghenhedlaeth i sy'n gallu dweud a'u llaw dros eu calon (neu ai 'a'u dwylo dros eu calonnau' ddylai hwnna fod?) fod ganddyn nhw Gymraeg perffaith, dilychwin. Dilychwin. Dyna i chi air da. Mae o mor dda, dwi'm yn siŵr be mae o'n ei feddwl nac a ydw i wedi ei ddefnyddio fo'n gywir yn fan'na. Sbec sydyn yn y geiriadur . . . 'pur, glân, heb ei ddifwyno . . .' Ffiw, ffitio'n iawn.

Pam mod i wedi defnyddio 'dilychwin' yn y lle cynta? Dwi'm yn cofio'i ddysgu erioed. Ei glywed ar Radio Cymru mae'n siŵr, neu ei ddarllen yn rhywle, debyca. Mae ystod fy ngeirfa'n ehangu bob dydd. Dyna i chi'r gair 'ystod': mi ddysgais y gair yna tra o'n i'n ymchwilydd ifanc gyda Radio Cymru 'nôl ynghanol yr wythdegau. Mi ddysgais lawer iawn o eiriau newydd a rheolau gramadeg yn ystod y cyfnod hwnnw, pan fyddai ymchwilydd yn gorfod darparu tudalennau o nodiadau ar gyfer cyflwynwyr deallus, sicr iawn eu Cymraeg. Roedd eu hanner nhw'n gyn-athrawon, ac yn disgyn arnoch chi fel tunnell o frics os na fyddai eich iaith yn plesio. John Evans, Chwaraeon, ddysgodd i mi mai dim ond un 'n' sydd yn 'enillydd.' A dwi ddim yn debyg o anghofio hynny, byth! Mi wnes i ystyried pwyntio allan na fyddai'r gwrandawyr fawr callach fod gen i ormodedd o 'n'au, ond calla dawo. Ac roedd paratoi nodiadau ar gyfer Beti George yn broses boenus. Ew, doedd neb isio cael row gan Beti, ac mi fyddai pawb yn pori dros eu nodiadau yn fanwl, fanwl, efo mwy o barch na thraethawd gradd, cyn meiddio eu dangos iddi.

Anghofia i fyth fy niwrnod cyntaf, a'r cynhyrchydd yn cyhoeddi fod angen chwilio am rifyn cyfredol o *Barn*, a sbio arna i. Nodiais fy mhen, gyda gwên eiddgar a deallus. Roedd pawb arall yn nodio eu pennau hefyd ac yn edrych yn hynod, hynod ddeallus. Lwcus fod yna eiriadur yn yr un stafell â'r cylchgronau, neu fyddai gen i ddim syniad be oedd y boi isio. Cyfredol?! Doeddwn i erioed wedi clywed y gair tan hynny. Mi ddysgais yn gyflym.

Ro'n i wedi gwneud gradd ym Mhrifysgol Cymru, oeddwn, ond gradd Ffrangeg. Roedd fy ngramadeg yn yr iaith honno ganwaith gwell nag yn fy iaith fy hun.

A dyna i chi'r treiglad trwynol. Newydd ddechrau ei ddefnyddio ydw i, ac mae'n dal i greu problemau: e.e: Reit, mae 'c' yn troi'n 'ch' ar ôl 'a' yn tydi? Pawb yn hapus yn fan'na, ond be sy'n digwydd efo'r llythyren 'k?' Tydi '. . . a Chet Roberts, brenhines ein llên' ddim yn edrych yn iawn nac'di? Ai '. . . a Khate Roberts' ddylai o fod? O leia mae rhywun yn llai tebygol o'i yngan fel y 'ch' Saesneg yn *chips*. Ond does 'na'm ffasiwn llythyren â 'kh,' sy'n anffodus, oherwydd gallai Kyffin Williams droi'n Chyffin. Sy'n dod â ni'n ôl at ddysgwyr.

A'r Steddfod. Mi fues i'n Y Stiwdio ddwywaith, un o'r adeiladau gwyn yna does neb yn cymryd fawr o sylw ohonyn nhw. Y tro cynta, dim ond tri oedd wedi dod i wrando ar y tri ohonom oedd i fod i draethu. Roedd 'na fwy yr eildro (wyth dwi'n meddwl, yn cynnwys chwe stiward) pan fues i a Ffion Wyn Dafis yn cael ein holi am *Amdani!* Ond roedd 'na ohebydd o'r *Western Mail* yn rhan o'r dorf. Ges i ffit pan agorais i'r papur hwnnw ddydd Sadwrn. Llun anferthol ohona i'n edrych hyd yn oed yn fwy anferthol (nid yn annhebyg i *hippo* yn ôl fy nith) o dan y pennawd '*Do women really do that sort of thing?*' yn deud mod i wedi deud fod dim digon o ryw ar S4C! Wir yr, wnes i ddim dweud hynny. Cris croes, tân poeth. Ond wedi i mi labio 'chydig o blasterbordiau am hanner awr (dwi'n gwella, er gwaetha'r swigod gwaed ar fy mysedd) mi ddarllenais yr erthygl eto, a gallu chwerthin. Mi

109

ddylwn i fod wedi arfer efo'r busnes camddyfynnu 'ma bellach. Ac mae'r darn . . . *'now fashionably calling herself Bethan Gwanas after the family farm'* yn ddigri iawn. Fashionably?! Wel, dyna brofi fod Cymru wledig ar flaen y gad mewn un maes o leia.

27

Da ydi technoleg weithiau ynde? Dwi ar y trên yn sgwennu hwn, ar *laptop*. Handi iawn, iawn. A phan fydda i wedi ei orffen, mi fedra i ddechrau ar stori fer ro'n i wedi anghofio mod i wedi addo ei sgwennu. Dim ond gobeithio y bydd y batris yn para'n ddigon hir wrth gwrs. Mae'n hen bryd iddyn nhw greu *laptops* sy'n gallu cael eu hatgyfnerthu gan olau'r haul. Mi allwn i sgwennu allan yn yr ardd drwy'r dydd wedyn: nefoedd.

Ond, wrth gwrs, mae technoleg hefyd yn gallu bod yn bali niwsans. Mae 'na foi (*'Hi there, this is Tony, from RES Distribution!'*) y tu ôl i mi efo'i ffôn lôn yn gweiddi ar dop ei lais. Dwi'n meddwl mod i'n gwybod popeth sydd 'na i'w wybod am *RES Distribution* a'r *takeover* erbyn hyn. Mae'r cerbyd i gyd yn gwybod, ac mae 'na foi o mlaen i yn edrych fel tase fo ar fin stwffio'r ffôn i lawr corn gwddw Tony os na wnaiff o gau ei geg yn y munud. Tybed a fydd yna achosion o *Train Rage* i'w ychwanegu at *Road Rage* cyn bo hir? Synnwn i damed.

Ond ar wahân i Tony, mae'n siwrne braf. Dwi ar fy ffordd adre o Rydychen, 'dach chi'n gweld. Mi ges i wahoddiad i fynd i siarad efo Cymdeithas Dafydd ap Gwilym neithiwr. (   ) Saib i hynna gael suddo mewn yn iawn. Ie, Rhydychen – fi! Rhodri Morgan oedd y siaradwr dwytha; roedd 'na griw da o tua ugain wedi dod i wrando arno fo. Dwi'm yn siŵr a oedd 'na ddeg yn gwrando arna i. Wel . . . dwi'm yn synnu. Dwi'n amau mai'r unig reswm ges i wahoddiad oedd oherwydd fod gen i gyn-ddisgybl yno. Ond dim ots, mi es, a mwynhau'r profiad yn arw. Mi wnes i bicio i Rydychen unwaith tua pymtheg mlynedd yn ôl, ond welais i ddim o'r dre bryd hynny. Tro 'ma, ro'n i'n cael *guest room* yng Ngholeg Iesu. Posh, ynde? Na, ddim felly. Dyna'r stafell leia i mi gysgu ynddi erioed, ar wahân i honno ges i mewn gwesty yn Rio de Janeiro wedi i ryw foi ddwyn fy mag. Ond stori arall ydi honno. Na, alla i ddim ond disgrifio'r stafell ges i fel 'spartaidd'. Mae'n siŵr mai stafelloedd felly fyddai gan fyfyrwyr cynnar y coleg: gwely sengl iawn, desg fechan a chadair, a'r unig le i gadw dillad oedd ar gefn y drws. Ond os ydach chi'n fyfyriwr gweithgar, dim ond lle i gysgu ydi'ch llofft yntê; y llyfrgell ydi'r lle i fyw ynddo o fore gwyn tan nos. Fel y gwnes i bob dydd pan o'n i'n fyfyriwr, wrth gwrs.

Mi gymerais i dacsi o'r orsaf a rhythu drwy'r ffenest yr holl ffordd, rêl twrist. O'n, ro'n i'n cofio'r beics, y cannoedd ohonyn nhw. Ond sylwais hefyd ar y sbectols y tro yma. O be welais i mewn un noson, dwi bron yn siŵr fod 80% o boblogaeth y ddinas yn gwisgo sbectol. Efallai eich bod chi'n cael pâr am ddim efo pob beic.

Roedd Catherine, fy nghyn-ddisgybl, yn aros amdana i y tu allan i'r Porth. Doedd y tacsi ddim yn gallu mynd at y drws oherwydd fod 'na griw yn ffilmio yn y stryd – merch ar feic . . . yr olygfa orfodol ar gyfer pob rhaglen/ffilm a leolir yn Rhydychen. Ro'n i'n cael y teimlad rhyfedda o *déjà vu*, oherwydd mod i wedi gweld yr adeiladau mor aml ar ryw sgrin neu'i gilydd. I mewn i'r ffreutur a chael swper tri chwrs neis iawn efo'r myfyrwyr, ar hen feinciau pren oedd yn boen pan fu raid codi ar ein traed ar gyfer gras hirfaith mewn Lladin. Roedd y dons i gyd yn eu clogynnau ar y prif fwrdd o dan lun anferthol, hynafol, drudfawr o Elisabeth 1af. A llun bychan, di-nod o'r Cymro Hugh Price, sylfaenodd y coleg, oddi tani. Allwn i ddim peidio â rhythu ar y cyfan, a dotio at y paneli pren cerfiedig o amgylch y stafell. Mae'n brofiad rhyfedd meddwl pwy a be mae'r stafell yna wedi eu gweld dros y canrifoedd.

I'r bar am jinsan bach cyn traethu, a daeth yr Hooray Henrys i mewn, yn eu *tuxedos* a'u dici-bos. Ar flaen y gad, boi tal, cyhyrog, melynwallt. Ie, capten y tîm rhwyfo, wrth gwrs, Mr Golden Boy, sy'n gallu troi y ddynes y tu ôl i'r bar o amgylch ei fys bach, sydd wedi cael cynnig swydd £30k yn 'y ddinas' yn barod, cyn sefyll yr un arholiad. Nid fod 'na olwg ddeallus iawn arno. 'Dach chi'n nabod y teip. Dwi'n meddwl y byddwn i wedi cael fy siomi taswn i heb weld o leia un Hooray Henry, yn enwedig ar ôl yr hw-ha yn sgil Laura Spence, yr eneth glyfar gadd ei gwrthod. Roedd gan rai o griw Cymdeithas Dafydd ap Gwilym deimladau cryfion am hyn, wrth gwrs, ond roedd eraill yn amlwg o dawel. Roedd Rhodri Morgan wedi codi gwrychyn ambell un yn sgil rhywbeth ddywedodd o am yr Hooray Henrys. Hm. Difyr. A difyr oedd sylwi fod rhai o'r Cymry yno oherwydd fod aelodau o'r teulu wedi bod yno o'u blaenau nhw. Ond mae hynny i'w ddisgwyl yntydi? Os oes 'na un rhiant/brawd/ chwaer wedi bod yno'n barod, rydach chi'n gwybod be i'w ddisgwyl, be i'w wneud a lle i fynd. Rydach chi'n gwybod faint o waith sydd angen ei wneud er mwyn sicrhau lle. Mae o'r un fath ymhob maes. Wnes i erioed ystyried astudio'r gyfraith oherwydd nad oeddwn i erioed wedi siarad efo cyfreithiwr tra o'n i'n ferch ysgol, ond sbïwch faint o blant cyfreithwyr sy'n mynd i'r un maes. Ac mae pawb yn disgwyl i feibion fferm fod yn ffermwyr. Efallai nad nepotistiaeth yn unig sy'n golygu fod cymaint o blant cyfryngis yn y cyfryngau. A dyna pam fod mwy o blant o'r ddau ddosbarth cymdeithasol uchaf yn cael deg A yn eu harholiadau TGAU. Fe adawodd fy rhieni i'r ysgol yn 15 oed, ond ro'n i'n hoffi darllen a sgwennu (diolch i Mam a'i llyfrau Enid Blyton) a dyna pam na ches i ormod o drafferth efo arholiadau – ac roedd gen i ffrind uchelgeisiol oedd yn gweithio'i gyts allan i gael graddau da. Ydyn, mae athrawon yn bwysig, ond mae rhieni a ffrindiau yr un mor bwysig, os nad yn bwysicach. A gan fod ysgolion preifat yn aml yn dewis y disgyblion mwyaf galluog, sy'n dylanwadu ar ei gilydd, mae synnwyr cyffredin yn dweud y byddan nhw'n cael gwell canlyniadau. Nid fod canlyniadau yn gyfystyr ag addysg dda, wrth gwrs. Ond mae 'na ddeunydd colofn arall yn fan'na.

Ychydig iawn o hyn drafodwyd neithiwr, ond fel'na dwi'n ei gweld hi. A dwi'n cytuno efo erthygl ddarllenais i bore 'ma oedd yn dweud yn blwmp ac yn blaen, os ydi'r Llywodraeth eisiau tegwch go iawn, yna dylid gofyn i fyfyrwyr dalu ffioedd yn ôl incwm y rhieni, a chynnig grantiau gwirioneddol hael i bawb sy'n cael trafferth cadw dau ben llinyn ynghyd. Ond oes ganddyn nhw'r gyts i wneud i'r dosbarth canol dalu? Dwi'n amau rywsut.

Dwi ddim yn siŵr be oedd myfyrwyr Cymraeg Rhydychen wedi'i ddisgwyl gen i neithiwr, ond mi siaradais am oes, ac roedd y cwestiynau wedyn yn hynod ddifyr ac amrywiol. Mi fuon ni'n trafod popeth, o Goleg Tatws Llaeth i symboliaeth C.S. Lewis. Ew, 'nes i fwynhau. A nes 'mlaen, yn ôl yn y bar, ges i wybod y pethau rhyfedda am gyfreithiau Hywel Dda, a chael ehangu fy ngeirfa yn sylweddol. Dwi'n fythol ddiolchgar, ac eisiau gwybod mwy. Maen nhw wedi addo gyrru e-bost ata i efo'r geiriau sydd, yn anffodus, wedi diflannu o'r iaith Gymraeg. Pa eiriau? Wel . . . rhowch o fel hyn, byddai sgwennu *Amdani!* (y nofel) wedi bod yn haws tase'r geiriau hyn yn dal mewn bod. Pathetig a thrist? Falle mod i, ond sori, mae o'n ddifyr. Ac os ydi o'n ddigon da i Oxbridge, mae'n ddigon da i mi.

Iawn, mi fedrwch chi draethu am addysg trwy gyfrwng y Gymraeg ac ati, ond taswn i wedi bod yn ddigon clyfar, mi fyddwn i wedi mynd i Rydychen ar fy mhen, dim problem. Mae'r drefn yn wahanol yno, llai o ddarlithoedd a mwy o bwyslais ar feddwl drosoch chi eich hun a thraethu eich barn. Hefyd, mae'n bwysig ehangu gorwelion, ac mae cyfyngu eich hun i'r un bobl a'r un syniadau yn gallu bod yn beryg. A welais i neb yn sbio'n hurt arnom ni'n siarad Cymraeg wrth y bwrdd bwyd na'r bar. Roedden nhw'n amlwg wedi arfer. Mae 'na le i ehangu gorwelion pobl eraill yn ogystal â chi'ch hunan, a gan fod canran uchel o fyfyrwyr Rhydychen yn mynd ymlaen i fod yn arweinyddion gwlad, boed i'r drefn o gael Cymry Cymraeg yn astudio yn eu mysg barhau.

28

Mae mhen i'n brifo, mae mreichiau i'n lliw oren rhyfedd, ac mae gen i lygaid panda ar ôl gwisgo sbectol yn yr haul. Mi fues i ar Ynys Enlli heddiw. Gwaith, nid pleser. Wel . . . dwn i'm chwaith. Allwn i ddim fod wedi dewis diwrnod gwell.

Ges i alwad ffôn ddoe, yn gofyn allwn i wneud gweithdy yno am ddiwrnod, gan mod i'n rhy brysur i ffitio wythnos i mewn. Mi gymerais i tua phymtheg eiliad i feddwl am y peth. A dwi'n difaru f'enaid na allwn i aros yno am wythnos. Ond dyna ni, tydi bywyd byth yn mynd fel wats nac'di?

Sgowt sydyn rownd yr ardd am saith bore 'ma – mae 'na rywbeth braf am wlychu eich traed yn y gwlith. Yna gwneud picnic swmpus, chwilio'n ofer am hufen haul, ac i ffwrdd â fi am Borth Meudwy i ddal cwch 9.30. Dwi'n nabod y ffordd yn eitha da bellach. A'r tro yma, roedd y môr yn gwbl, berffaith dawel. Welais i 'rioed mo'r Swnt mor llonydd.

Roedd plant ysgolion cynradd Treborth a Bontnewydd wrthi'n cael eu llwytho i'r cwch bychan oedd yn mynd â nhw at y cwch mawr. Er mwyn sbario iddyn nhw wlychu eu traed, roedd Barry a'i fêt yn eu cario dros eu hysgwyddau at y cwch. Hm. Taswn i'n saith stôn, mi fyswn i wrth fy modd yn cael triniaeth fel'na mae'n siŵr. Ond tydi genod nobl fel fi ddim yn chwilio am esgus i glywed dynion yn tuchan oddi tanynt. Efallai y dylwn i aralleirio hynna. Tydan ni ddim yn chwilio am esgus i ddynion gael deud pethau fel: 'Harglwy'! Faint ti'n bwyso?!' a phethau tebyg, na chael ein henwi fel achos hernia neu *slipped disc*. Da ydi sandals pwrpasol mewn achosion fel hyn, felly mi es i at y cwch yn annibynnol, diolch yn fawr. Dwi'n siŵr bod yr hogia yn falch hefyd.

Mi dreuliais i'r bore yn crwydro'r ynys efo'r plant, yn sgwrsio efo nhw a dod i'w nabod, a gwrando ar eu sgyrsiau heb iddyn nhw ddallt:

116

'Sbia – "trwyn fy Nain" ydi enw'r gragen yma.'

'Mae fy Nain i'n cael ei phen-blwydd yn chwe deg un fory.'

'Chwe deg un? A mae hi'n dal yn fyw?'

Ddeudis i'm byd.

Roedd hogia Treborth wrth eu boddau yn chwilio am wahanol fathau o wymon a chregyn ar y traeth, a phawb wedi eu cyfareddu gan sŵn udo'r morloi. Mi wnes i ofyn i nghriw i geisio atgynhyrchu'r sŵn ar bapur. 'Owh-owh-owh' oedd cynnig John, ac un da ydi o hefyd. Dyma wylan benddu (dwi'n meddwl) yn hedfan heibio'n swnllyd. 'Cabîb-cabîb-cabîb' oedd cynnig ardderchog Wiliam, er fod yr athrawes wedi meddwl mai bod yn ddigywilydd oedd o, yn cyfeirio at anhwylder ymysgarol. Does gan athrawon ddiffyg ffydd weithia 'dwch?

Wedyn mi fuon ni'n creu stori wedi ei lleoli ar Enlli. Roedd hi braidd yn ara yn cael ei thraed dani, ond unwaith i ni ddechrau cerdded a 'chreu' ar yr un pryd, roedd y syniadau'n llifo. Roedd un isio stori hanesyddol am smyglwyr, ond un arall yn mynnu cael James Bond yno yn rhywle, un arall yn daer isio elfen o Harry Potter ac un arall yn benderfynol o gael *aliens* i mewn. Felly dyna wnaethon ni, ac ychwanegu morloi, llygaid meheryn a pherdys (y gair Cymraeg am *shrimps* yn ôl Bruce). A chredwch chi byth, ond roedd hi'n stori ddifyr ofnadwy. Does 'na'm byd tebyg i ddychymyg plentyn unwaith mae'r cogiau 'na'n troi.

Dwi ddim am ddeud wrthach chi be oedd y stori. Ond os darllenwch chi nofel yn cynnwys yr elfennau uchod i gyd ymhen blwyddyn neu ddwy, mi fyddwch chi'n gwbod o lle doth hi.

Aeth popeth fel wats drwy'r dydd, a syniad gwych oedd darparu sbienglas i bawb. Cofiwch fynd â rhai efo chi pan ewch chi i Enlli, da chi. Mae gweld morloi mor agos yn brofiad bythgofiadwy. Anghofia i fyth chwaith y wên ar wyneb Chris pan waeddodd yn uchel mai dyna'r diwrnod gorau erioed iddo'i gael gyda'r ysgol.

Pwy sydd angen mynd i Alton Towers a ninnau efo rhywle mor arbennig, mor agos?

29

Mae 'na fwy o achosion o asthma rŵan nag erioed. Mae'r nifer o blant dan bump sy'n diodde wedi dyblu yn y degawd dwytha. Ac mae'n siŵr fod 'na nifer fawr o athrawon, trefnwyr gweithgareddau plant ac ati sydd, fel fi, wedi synnu ers tro at y mynydd o *Ventolin Inhalers* sy'n dod i'r golwg mewn pob criw o blant. Ond pan o'n i'n yr ysgol, doedd 'na neb yn diodde o asthma. A dwi ddim yn gwybod am unrhyw aelod o'r teulu sy'n diodde chwaith.

Ond mae hynna'n profi mai tlawd ydan ni, yn ôl y papurau. Mae 'na astudiaeth o 1,300 o blant yr Almaen yn profi fod plant o deuluoedd cefnog, dosbarth canol yn fwy tebygol o ddatblygu asthma na phlant llai breintiedig. Wedyn maen nhw'n amau mai eu ffordd o fyw sydd ar fai, sef bywyd glân ac antiseptig, sy'n eu gwarchod rhag bacteria o unrhyw fath. Ond, meddai'r gwyddonwyr, rydan ni angen dod i gysylltiad â rhywfaint o facteria er mwyn adeiladu imiwnedd.

Mae pobol wedi bod yn deud hyn ers talwm. Yn ystod fy mhlentyndod, mi fyddwn i'n aml yn clywed oedolion yn pregethu fod 'ychydig o faw yn gneud lles i ti'; ac mi ro'n i'n falch o gredu hynny, ac yn prysuro'n ôl at fy nghacennau mwd. Ond ar yr un pryd, byddai hysbysebion ar y teledu yn dangos ei bod hi'n hanfodol, yn ddyletswydd cymdeithasol, i ladd pob dim efo pob math o hylifau a phowdrau. A dwi'm yn amau nad ydi'r neges yn mynd yn gryfach a'r nwyddau'n ddrytach bob blwyddyn. Efallai mod i wedi ei freuddwydio, ond dwi bron yn siŵr mod i'n cofio un hysbyseb yn dangos babi ar fin cyfarfod fflyd o facteria cartŵn llwglyd, cas yr olwg, a'r fam – ffiw – jest mewn pryd – yn achub ei phlentyn o grafangau'r erchyllbethau hyn. Sa'n well tase hi wedi gadael iddyn nhw.

Yn ôl yr adroddiadau yma o'r Almaen, mi ddylech chi adael/gwthio eich plant allan o'r tŷ a chuddio'r cyfrifiadur. Maen nhw'n deud fod plant ffermwyr a theuluoedd ar incwm isel (oes 'na wahaniaeth bellach?) yn llawer mwy tebygol o orfod creu eu hwyl eu hunain allan yn yr awyr agored, tra bod rhieni ariannog yn prynu cyfrifiaduron ac ati i'w hepil ac yn poeni am eu gadael allan o'r tŷ am eiliad. Mae'n wir tydi? Dwi'n nabod ambell deulu sy'n ffitio'n daclus i mewn i'r categori yna. Gwingwch, ymlaciwch a thaflwch y *Domestos*.

Mynnwch fod eich plantos yn rhowlio yn y mwd a chael hwyl yn dringo coed ac ati. Peidiwch â mynd i stad os ydyn nhw'n cael ambell glais neu'n gwaedu 'chydig – mae hyn yn normal, yn rhan o dyfu i fyny, ac yn dda iddyn nhw. Plastar wnaiff y tro gan amla, dim angen galw ambiwlans oni bai eu bod nhw'n ddiymadferth neu ddim yn anadlu. Neu ag asgwrn yn sticio allan o rywle. A pheidiwch â chael sterics os ydyn nhw'n baeddu eu dillad. Mi ddysgan nhw reit handi fod 'na wahaniaeth rhwng dillad i bôsio ynddyn nhw, a dillad i chwarae o ddifri ynddyn nhw. Allwch chi ddim gweld y label os oes 'na gacen o fwd drosto.

Ydw, dwi wrth fy modd efo'r canlyniadau yma. Fel un gafodd blentyndod llawn antur a mocha a baw o bob math, dwi o blaid unrhyw beth sy'n gwneud plant yn blant unwaith eto, yn hytrach na robots bach clyfar sydd yn ofni pob dim nad oes modd ei ddiffodd efo swits.

A dwi hefyd yn falch oherwydd ei fod yn taflu rhywfaint o ddŵr oer dros y ffaith fod profion yn dangos fod 'na rywfaint o e-coli yn y dŵr sy'n dod i nhŷ i. Mae'n swnio'n frawychus nes i chi sylweddoli fod 'na rywfaint o e-coli yn y rhan fwya o lefydd efo dŵr preifat, a diawcs, tydw i wedi cael fy magu ar ddŵr oedd yn llawn o bob dim? Roedden ni'n cael y pethau rhyfedda yn llifo drwy'r tap ers talwm, yn cynnwys pryfed genwair. Ond alla i ddim peidio â meddwl fod a wnelo'r dŵr amherffaith hwnnw rywbeth â'r ffaith i mi fod yn blentyn mor anhygoel o iach, heb gael y frech goch na brech yr ieir na dim.

Dwi ddim yn argymell y dylai pawb fynd allan i drochi eu plant yn y domen agosaf, wrth reswm; ond mae'n gwneud i chi feddwl tydi?

30

Mae'r tymor cneifio wedi hen ddod i ben acw, a gan mod i mor agos, a ffermio wastad wedi bod yn fusnes teuluol efo pawb yn bwrw iddi, mi fues i'n helpu i lapio. Wnes i 'rioed ddysgu sut i gneifio, a dwi ddim ar frys i ddysgu chwaith, ond mi fedra i lapio gwlân. Iawn, mi fedar unrhyw ffŵl wneud y job yna, ond dal ati yn ddi-gŵyn ydi'r gamp. Yn enwedig pan mae'ch dwylo a'ch garddyrnau chi'n griffiadau i gyd. Argol, mae'r lanolin neu be bynnag ydi o, yn brifo wedyn. Dyna oedd fy hanes i ar ddechrau'r cneifio ychydig wythnosau yn ôl, oherwydd olion y frwydr i feistroli morthwyl, ond mi roedden nhw wedi mendio erbyn yr ail dro, felly yr unig beth oedd yn fy mhoeni oedd y gwybed

Cneifio yn y Gwanas

bach. Sglyfath o bethau; maen nhw wrth eu bodd
efo fi, a phob pigiad yn chwyddo nes dwi'n edrych
fel anghenfil allan o un o'r *B movies* 'na. Ond hen
fabi fyddai'n cwyno, ac o leia ro'n i mewn sefyllfa i
fedru chwifio mreichiau a slapio ambell wybedyn.
Allwch chi ddim gwneud hynna pan mae ganddoch
chi beiriant cneifio yn un llaw a choes dafad flin yn
y llall. Beryg i chi roi cneifiad go dda i chi'ch hun
tasech chi'n trio.

Wrth wylio'r defaid yn cael eu troi o un ochr i'r
llall mor ddiseremoni, mi ges f'atgoffa o'r deintydd.
Nid fod fy neintydd i'n fy nhaflu o gwmpas fel yna,
chwarae teg, ond mi ges dipyn o sioc mynd ato fo ar
ôl blynyddoedd efo deintyddes. Byddai hi'n gofyn i
mi symud fy mhen, neu'n ei wthio'n ofalus ac
ysgafn. Tydi hwn ddim yn brifo, ond mae o rêl dyn.

122

Nid mod i'n cwyno cofiwch, mae 'na rywbeth yn *masterful* iawn am y peth. Ond sgwn i sut mae defaid yn teimlo?

Do'n i ddim yn lapio ers talwm. Helpu Mam a Nain ac Anti Glenys i baratoi bwyd oedd fy swydd i. A hynny oherwydd fod 'na hyd at bymtheg o ddynion wrthi efo'r defaid am ddeuddydd solat. Gofalu fod ganddyn nhw ddigon o faeth ac egni oedd ein gorchwyl ni, y merched. Ond dros y ffordd efo'r dynion o'n i isio bod, ynghanol y prysurdeb a'r brefu a'r chwys, nid yn fara menyn a siwgwr eisin hyd at fy mheneliniau. Mi fyddwn i wrth fy modd yn cael dianc o'r ffatri tarten riwbob am un ar ddeg a thri efo llond basged o gwpanau a thebot anferthol o de. Wedyn, wrth ddisgwyl iddyn nhw wagu'r tebot, mi fyddwn i'n cael eistedd ar y sachau gwlân efo pobl fel Taid ac ambell hogyn ffarm del. Nid fod 'na ormodedd o'r rheiny. Hen ddynion fyddai'n dod acw gan amla. Ro'n i mor eiddigeddus o fy ffrindiau, oedd wastad yn cael llwyth o hogia ifanc, golygus draw i gneifio. Ond roedd gwrando ar sgwrs yr hen fois yn hynod ddifyr.

Malu awyr fydden nhw amser paned, tynnu coes ac ati, ond wedi iddyn nhw drampio lawr at y tŷ am ginio a the, a'u stwffio'u hunain, mi fydden nhw'n eistedd yn ôl a dechrau sgwrsio am bethau pwysig. Dim ond y dynion, cofiwch. Hofran efo tebot neu blataid arall o fara menyn fyddai'r merched, a chyfyngu eu hunain i 'Stynnwch at y sgons 'na' neu 'Oes 'na rywun isio mwy o bwdin reis?' Dyna fydden nhw'n ei gael i bwdin gan amlaf: llond powlen o darten riwbob, cwstard a phwdin reis. Ond roedd hyn cyn cyfnod y moto beics pedair olwyn cofiwch. Tase ffermwyr yn dal i fwyta fel'na heddiw, mi fyddai 'na ystyr arall i *fat farm*.

Ro'n i'n hapus jest i wrando a chwerthin ar eu sgwrsio nhw am flynyddoedd, ond fel ro'n i'n mynd yn hŷn ac yn gwybod mwy am y byd a'i bethau, roedd hi'n anodd cadw fy ngheg ar gau. Ac un diwrnod mi fentrais i anghytuno efo rhywbeth roedd un o'r ffermwyr hyn wedi'i ddeud. Ro'n i'n gwybod yn syth mod i wedi gwneud camgymeriad. Aeth pawb yn dawel a rhythu ar eu bechdanau jam. Es i'n chwys oer drostaf. Bosib mai mewn sioc oedden nhw, o glywed llais benywaidd yn dweud rhywbeth mwy na: 'Mwy o de, Mr Jones?' Ond mi ges i'r teimlad cry' nad oedd merched i fod i gyfrannu at sgwrs wleidyddol – nid o gwmpas y bwrdd cneifio o leia. Felly wnes i ddim mentro bod mor hy eto.

Byddai Nain yn dweud wrtha i nad oedd bwydo pymtheg yn ddim byd. Cyn oes y peiriannau, byddai tua 30 wrthi, a dau *sitting* wrth y byrddau bwyd. Ond mi welais i newid hefyd: dros y blynyddoedd, mi symudodd y bwydo o ddau fwrdd yn y gegin orau, i un bwrdd yn y gegin. Ac roedd dwy gogyddes yn hen ddigon. Ac erbyn heddiw, dim ond dau – weithiau dri – sy'n cneifio, ychydig ar y tro. A gan amla, maen nhw'n gwneud y lapio i gyd eu hunain hefyd. Digon tebyg ydi hi ymhobman am wn i, heblaw fod y rhan fwya o ffermwyr yn cyflogi contractwyr. Diflannodd y drefn o gymdogion yn helpu ei gilydd. Dwi'n meddwl iddo ddigwydd ymhobman tua'r un pryd, a does 'na neb hyd yma wedi gallu rhoi eglurhad pendant i mi pam y digwyddodd hi felly. Pobl wedi cael llond bol o gneifio defaid pawb arall yn ogystal â'u rhai eu hunain, fel bod dim amser i wneud dim arall? Mwy o ffermwyr yn penderfynu gadael job galed fel cneifio i'r arbenigwyr? System giatiau newydd yn golygu nad oes bellach angen neb i 'ddal' y defaid? Be bynnag oedd y rheswm, mi gollwyd llawer o'r hwyl a'r cymdeithasu hefyd.

Ac mae digon o angen hynny yng nghefn gwlad bellach.

31

Mewn unrhyw weithle yn y gorllewin gwareidd-iedig, mae cael eich gweld yn gwneud dim byd yn bechod o'r mwya. Dwi'n euog o deimlo fel hyn fy hun. Dwi'n un o'r gwenyn-bobl 'ma sy'n mynd-mynd drwy'r adeg, yn gweithio fel het, ac yn flin pan fydda i'n credu nad yw pawb arall yn tynnu eu pwysau. Dwi'n teimlo'n euog pan fydda i'n setlo ar y soffa i wylio'r teledu oherwydd fod gen i gantamil o bethau ar y gweill, felly dwi'n gwylio am ryw chwarter awr, yna'n neidio i fyny i 'wneud rhywbeth' yn ystod yr hysbysebion, ac yn aml iawn, yn anghofio am y rhaglen wedyn.

Fy magwraeth sydd wedi fy nghyflyru fel hyn. Anaml gewch chi blentyn ffarm sy'n gallu byw yn eu croen os nad ydyn nhw wedi 'gwneud rhywbeth' o werth y diwrnod hwnnw. A phan fydd fy nithoedd yn llusgo eu traed i roi help llaw o gwmpas y lle, dwi'n mynd yn anniddig, ac yn dechrau swnio fel Nain ers talwm, pan fyddai hi'n codi ei llais os fydden ni'n dilidalian: 'Yn eich oed chi, o'n i'n codi am bump i sgwrio'r lloriau, wedyn yn pobi ugain torth cyn brecwast . . . bla bla.' (Nain fyddai'n dweud hyn, nid y fi.)

Felly pan ddarllenais i erthygl Julie Burchill yn y *Guardian* yn ddiweddar, mi wnes i wenu. Un dda ydi Ms Burchill: mae'n gallu bod yn hen sopen fach gas a sbeitlyd, ond ew, mae hi'n gallu sgwennu. Roedd ei chyllell hi allan eto, a'r tro yma, roedd hi'n bychanu bobl brysur. Mi lwyddodd i godi ngwrychyn i'n syth. Ond wedyn, mi wnes i bwyllo a darllen y paragraff ola 'na eto: 'Mae pobl brysur yn aml yn ymddwyn fel merthyron, ond y ffaith amdani ydi eu bod nhw'n hynod fyfïol; maen nhw'n credu – neu o leia am i'r sawl sy'n eu gwylio gredu – os y byddan nhw'n stopio am eiliad, y daw'r byd i ben. Tydw i [Ms Burchill] ddim yn credu hynna amdanaf fy hun am eiliad, na neb arall chwaith, a'r ffaith amdani ydi y byddai'r rhan fwya o bobl yn gwneud eu gwaith yn well tasen nhw'n gwneud llai ohono, nid mwy. Anghofia am y dyddiad cau 'na, cymera'r ffordd hir adre. Pan weli di ddau giw, dos i sefyll yn yr un hwya a gad i dy hun freuddwydio. A

126

drycha, mabi gwyn i, neith yr awyr ddim disgyn ar dy ben di.'

Mae hi yn llygad ei lle wrth gwrs.

Mi fues i'n sâl wsnos yma, ofnadwy o sâl. Ro'n i mor sal, mi fethais i fynd i ngwaith am wythnos gyfan, a dwi'm yn meddwl mod i wedi colli mwy na diwrnod mewn pedair blynedd efo'r llyfrgell. Ro'n i'n teimlo mor euog, does ganddoch chi'm syniad. Roedd gen i gymaint i'w wneud toedd! A neb arall yn gallu ei wneud o, debyg iawn.

Ond wedyn mi gofiais am Julie Burchill. Nagoedd, doedd yr awyr heb symud 'run fodfedd. Mi sylweddolais pam mod i'n sâl mewn gwirionedd, a dyna pryd wnes i ddechrau ymlacio a gadael i mi fy hun fod yn sâl, a gwneud dim. Ew, roedd o'n braf. A dyna pryd wnes i ddechrau gwella – efo help y penisilin wrth gwrs.

Ac mi gofiais wedyn am yr hwyl oedd i'w gael yn y pentre bach yn Nigeria lle fues i'n gweithio am ddwy flynedd. 'Dim brys mewn bywyd' oedd yr arwyddair yno, ac er fod popeth wastad yn hwyr, a fawr ddim yn digwydd fel y dylai, roedden nhw'n chwerthin llawer iawn mwy na ni.

32

'Ew! Ti'n dangos dy oed rŵan' medden nhw. Dim ond cyfeirio at Jean-Pierre Rives wnes i. Sy'n berffaith wir wrth gwrs. Does 'na'm llawer o bobl yn cofio bellach am y chwaraewr rygbi caled, gwallt hir melyn, oedd wastad â gwaed yn llifo o ryw ran o'i wyneb.

Mi gofiais amdano eto wrth hel llus ddydd Sadwrn. Nid oherwydd mod i'n dangos olion brwydr efo mieri, ond oherwydd fod y ffaith mod i wrth fy modd yn hel llus yn fy nyddio hefyd. Mae'n arfer sydd wedi diflannu, fwy na heb, tydi? Mi wnes i gynnig mynd â fy nithoedd efo fi, ond chwerthin wnaeth eu mam dros y ffôn, ac egluro: 'Gwranda, ella dy fod ti a fi wrth ein bodd yn eu hel nhw, ond tydi'r rhein ddim yn gwybod be ydi llus.' Mi wnes i geisio pwyntio allan ei bod hi'n gyfle iddyn nhw ddysgu, ond, pan mae'n ddewis rhwng mynd i'r dre efo'u cyfoedion a dringo mynydd i hel ryw gyrens bach piws, does ganddoch chi fawr o obaith efo genod yn eu harddegau.

Mae 'na flynyddoedd ers i mi fod wrthi. Dwi'm yn siŵr iawn pam, ond dwi'n meddwl i ni gael cyfnod o brinder llus, ac wedyn mi wnes i anghofio amdanyn nhw.

Mae Mam (sydd ddim yn hen iawn, chwarae teg) yn cofio'r adeg pan fyddai pentref cyfan yn dal trên i fynd am ddiwrnod cyfan o hel llus, yn blant bach a neiniau, efo'u picnics a'u basgedi. Roedd o'n achlysur mawr. Ocê, dwi'n dechrau swnio fel Kate Roberts mae'n siŵr, ond meddyliwch faint o hwyl fyddai cael cymuned gyfan yn gwneud rhywbeth fel hyn heddiw. Mi fyddai'n gyfle i ddod i nabod eich cymdogion unwaith eto, heb sôn am fod yn ddiwrnod braf o sgwrsio difyr. Ydyn, maen nhw'n staenio'ch bysedd chi'n arw, ond dwi newydd gael darn o nharten llus gyntaf ers blynyddoedd, ac mi roedd hi'n fendigedig.

A dwi newydd ddarllen fod gwyddonwyr yn yr Unol Daleithiau wedi darganfod fod llus yn cynnwys lefelau uchel iawn o wrthocsidyddion, sydd, mae'n debyg, yn effeithiol yn y frwydr yn erbyn clefyd y galon a rhai achosion o gancr. Maen nhw hyd yn oed yn honni fod ganddyn nhw'r potensial i'ch cadw'n ifanc a'ch rhwystro rhag anghofio pethau. Ond tydyn nhw'm yn deud faint o dunelli ohonyn nhw sy'n rhaid eu bwyta i gael unrhyw fath o effaith.

Ond nid eu bwyta sy'n cyfri wrth gwrs. Bod allan yn yr awyr agored, a golygfeydd bendigedig o'ch cwmpas, ydi hanner y peth, a bustachu drwy fieri a chorsydd a dod o hyd i lond llwyn o rai mawr fel marblis am eich trafferth; cofio hel llus pan oeddech chi'n blentyn a dod adre'n biws o un glust i'r llall; gallu sgwrsio'n braf efo'ch cyd-gasglwyr, sy'n lus-*aficionados* fel chi.

Mi ges i gwmni dwy ferch hynod ddifyr ddydd Sadwrn. A rŵan, dwi'n ceisio pwyso a mesur a ddylwn i ddweud pwy oedden nhw a lle roedden ni, gan fod gen i ofn annog byddinoedd o bobl i hel llus yno. Ond gan fod y lle mor anghysbell, mi wna i fentro. Digwydd sôn wrth y bardd Nesta Wyn Jones na fûm i erioed yn Abergeirw wnes i, a dyna wahoddiad yn syth i fynd draw i hel llus. Roedd yr awyr yn las, yr haul yn tywynnu, ac mi wnes i fopio. Does 'na'm llawer o lefydd fel hyn yn y wlad 'ma. Oes, fel sawl ardal debyg, mae 'na Gymry wedi symud oddi yno i fod yn nes at y dre, a Saeson wedi prynu'r hen dyddynnod a'r ffermdai. Ond maen nhw'n deip arbennig o ymfudwyr, a phan fydd 'na ferch fel Nesta o gwmpas y lle, yn rhoi gwersi Cymraeg i bawb, a mynd ati i'w trwytho yn y Pethau, allwch chi ddim teimlo'n ddigalon. Dyna brofi be sy'n bosib, a dim ond i ni, y Cymry Cymraeg, wneud yr ymdrech yn lle jest cwyno o hyd, mae modd cyflawni gwyrthiau. Mi fydd Nesta yn fy namio am ei chanmol yn gyhoeddus fel hyn, ond tyff. Tydan ni'm yn canmol digon yn y byd 'ma! Ac fel mae'n digwydd, mae hi hefyd yn giamstar am hel llus. Roedd ei jwg hi'n llawn a finnau efo dim ond gwaelod powlen. Dyna pam ei bod hi cystal bardd, mae'n siŵr, yn gweld pethau nad yw'r gweddill ohonom ni'n sylwi arnyn nhw.

Athrawes wedi ymddeol oedd y drydedd yn y tîm: Gwen Aaron. A phan fydda i wedi ymddeol, dwi'n gobeithio i'r nefoedd y bydd gen i rywfaint o'i hegni hi. Mae hi'n mynydda a chanŵio a chrwydro, ac yn donic. Wedi cael ei siâr o lus dros y blynyddoedd mae'n siŵr.

Gyda llaw, does 'na'm pwynt i chi godi'ch pac a mynd â'ch powlenni i chwilio yno rŵan. Rydan ni wedi hel y cwbl.

33

Dwi ddim yn siŵr am yr holl ffỳs 'ma am ferched yn gwneud yn well na bechgyn yn yr arholiadau. Mae'r cyfryngau wedi bachu ar y peth, a'i chwyddo i fod yn broblem fawr, llawer mwy nag ydi o mewn gwirionedd. Mae 'na broblemau llawer mwy na hyn yn y system addysg. Wedyn mae ganddoch chi bobl yn malu awyr ynglŷn â'r rhesymau: rhai yn ceisio beio'r ffasiwn 'hogia ni', y 'ladrwydd' 'ma – neu be bynnag ydi *laddism* yn Gymraeg – am ddiffygion academaidd (honedig) y bechgyn, rhai yn ceisio dweud y dylid gwahanu y ddau ryw yn y dosbarth, rhai yn honni fod 'na ormod o athrawesau a diffyg *role models* gwrywaidd i fechgyn, ac eraill yn ceisio dweud mai'r arholiadau eu hunain sydd ar fai, eu bod nhw'n ffafrio merched.

Howld on, Defi John. Mae cyffredinoli'n beth peryg. Os ydan ni'n credu'r papurau, mae hi'n argyfwng arnom ni, a'n bechgyn yn mynd am yn ôl, yn ddwl fel pyst a bod dyfodol y ddynoliaeth yn y fantol. Gadewch i ni bwyllo: mae 'na rai bechgyn yn dal i wneud yn arbennig o dda; a deud y gwir, mae 'na lawer iawn ohonyn nhw'n hynod glyfar a gweithgar ac â dyfodol disglair iawn o'u blaenau. Rhaid cofio hefyd nad ydi'r ffaith na chafodd rhywun res o As yn golygu nad oes dyfodol llewyrchus iddyn nhwtha. Ond difyr oedd sylwi ar y *Western Mail* ddydd Gwener dwytha: prif stori'r dudalen flaen oedd goruchafiaeth y merched, a llun mawr o ferch sydd wedi cael 11 A*. Roedd yn rhaid troi at dudalen naw a cholofn fechan guddiedig am hanes ysgolion yng Nghaerffili a'r Rhondda lle roedd y bechgyn wedi gwneud yn llawer gwell na'r genod. Yr un person oedd wedi sgwennu'r adroddiadau, ac mae gen i deimlad fod rhywun wedi rhannu un adroddiad yn ddau. Efallai mod i'n gwbl anghywir, ond mae'r gwahaniaeth yn ddiddorol.

Dwi ddim yn arbenigwraig ar addysg, ond mae gen i brofiad o ddysgu bechgyn a merched yng Nghymru, Ffrainc a Nigeria. Mi fues i hefyd yn ddisgybl ysgol yn y cyfnod pan oedd merched a bechgyn yn cael eu gwahanu i astudio coginio, gwnïo, gwaith coed ac ati. Ac fel hyn dwi'n ei gweld hi:

I ddechrau, rydach chi'n cael blynyddoedd da a blynyddoedd sydd ddim cystal. Mi allwch chi gael ysgol ar dop y tablau eleni, fydd i lawr yn y canol di-nod y flwyddyn nesa. Nid yr addysg na'r arholiadau sydd ar fai, ond y ffaith fod 'na lai o blant clyfar yn digwydd bod yn yr un flwyddyn.

Ydi, mae'n wir fod merched ar y cyfan yn well am wneud pynciau fel ieithoedd. Ond mae 'na rai merched – a bechgyn – sydd ddim yn ffitio'r patrwm. Maen nhw'n honni fod merched wrth natur yn slogars pwyllog sy'n well am wneud gwaith cwrs, tra bod bechgyn yn cael fflach o athrylith sydyn ar ddiwedd blwyddyn ddiog. Ro'n i'n casáu gwaith cwrs a thraethodau estynedig. Rhowch i mi arholiad awr a hanner unrhyw adeg. Ai fi sy'n od? Na, mae gen i ffrindiau sydd yr un fath yn union. Allwch chi ddim rhoi'r ddau ryw mewn bocs fel yna; mae'n llawer mwy cymhleth.

Yn bendant, fel athro neu athrawes, mae angen amrywio'r ffordd rydach chi'n delio efo gwahanol ddisgyblion. Mi ddywedodd athro profiadol yn y *Daily Express* fod merched yn daclus a threfnus ac yn 'cymryd' eu dysgu, tra bod bechgyn yn aml yn styfnig, yn swnllyd ac yn llyncu mul ar ddim. Mi wna i gytuno fod 'na elfen o wirionedd yn hyn, ond dwi'n siŵr y byddai'r rhan fwya o athrawon yn cytuno fod 'na ferched sydd felly hefyd a'i bod hi'n haws delio efo'r bechgyn 'anodd' na'r merched styfnig, swnllyd sy'n digio am byth. Ydw, dwi hefyd yn euog o gyffredinoli rŵan, ond mae'r hen '*Hell hath no fury . . .*' yn anghyffyrddus o wir.

Mae ysgolion preifat yn mynnu mai gwahanu'r ddau ryw ydi'r ateb, oherwydd nad oes 'na lawer o wahaniaeth yng nghanlyniadau bechgyn a merched ysgolion felly. Ond y ffaith amdani ydi fod plant sy'n mynd i ysgolion preifat yn tueddu i fod yn fwy galluog yn y lle cynta ac yn cael llawer mwy o gefnogaeth gan eu teuluoedd.

Mi ddywedodd prifathro yr ysgol lwyddiannus yng Nghaerffili na fydden nhw byth yn gwneud hynny, ond eu bod nhw'n mynnu fod bechgyn yn eistedd wrth ochr y merched, ac felly'n gweithio efo nhw, a bod hynny'n hynod effeithiol. Rŵan, dyna i chi syniad. O mhrofiad i, mae'r problemau'n codi pan fydd pawb mewn *cliques* bach merched *v* bechgyn. A phan o'n i mewn llond dosbarth o ferched yn dysgu sut i wnïo hem neu gael sgons i godi, doedden ni ddim yn dysgu'n well. Os rhywbeth, roedden ni'n ymddwyn yn waeth nag arfer.

Os ydach chi'n gyfarwydd â llyfrau Harry Potter, Hermione y ferch ydi'r swot gofalus sy'n casáu torri rheolau, sy'n mynd dan groen yr hogia. Ond maen nhw'n cydweithio'n y diwedd ac yn ennill y dydd bob tro. Hyd yma o leia. Ffyrdd gwahanol o ddysgu a gwneud pethau sydd ganddyn nhw, fel mewn bywyd go iawn.

Mae'n bryd i bobl sylweddoli fod merched wedi bod â rhywbeth i'w brofi ers canrifoedd, felly byddwch yn falch eu bod nhw'n llwyddo cystal. Y bechgyn sydd â rhywbeth i'w brofi rŵan, ac mi fydd y rhod yn troi. Ac wedyn yn troi'r ffordd arall, a'r ffordd arall eto.

Mae'n gwneud i chi feddwl pwy oedd yn gwneud y penderfyniadau go iawn yn oes y cerrig tydi?

34

Mi fues i mewn priodas yn ddiweddar, un arbennig
o hyfryd a theimladwy. Ro'n i wedi gwirioni, gan
mod i, a bod yn onest, heb ddisgwyl mwynhau y
gwasanaeth gymaint â hynny. Ar wahân i hon, mae
pob priodas i mi fod ynddi (a dwi wedi bod mewn
llwyth ohonyn nhw) wedi bod un ai mewn capel
neu eglwys. Gwasanaeth mewn gwesty oedd hwn,
heb weinidog, nac organ, nac emynau. Iawn, mi
wna i gyfadde, ro'n i wedi disgwyl rhywbeth
oeraidd, rhad. Doedd o ddim felly o bell ffordd.
Roedd y gwasanaeth yn syml a gonest a chwbl
berthnasol i'r pâr oedd yn priodi, roedd y miwsig a
chwaraewyd yn dweud cyfrolau am y berthynas, ac
mi wnes i ddechrau crio cyn i'r briodferch gerdded
mewn. Roedd yno awyrgylch hamddenol, braf, ac er
fod y cwpwl yn eitha nerfus, fel pob cwpwl sydd ar
fin cysegru eu byd i'w gilydd, barodd y nerfau ddim
yn hir. Barodd y gwasanaeth ddim yn hir chwaith,
ond doedd o ddim yn rhy fyr. Roedd o jest neis. Mi
adewais i'r briodas yna'n teimlo mod i newydd
brofi rhywbeth arbennig iawn, ac roedd 'na wên
fawr gen i am ddyddiau wedyn.

Rŵan, mae 'na ambell briodas capel sy'n
gwneud i mi deimlo rhyw fath o wefr hefyd, ond
mae cymaint yn dibynnu ar bregeth y gweinidog.
Os ydyn nhw'n ei wneud yn ddifyr a pherthnasol i'r
cwpwl sy'n priodi – grêt. Ond tydyn nhw ddim yn
gwneud hyn bob amser nac'dyn? Mae rhai fel

Un briodas . . . (Gerwyn a Delyth) gyda thocyn parcio yn fy llaw.
Gwelwodd y warden traffig pan welodd fi'n dod ar faglau, ac
yntau newydd fy nghosbi am barcio mewn man parcio i'r anabl!

. . . dwy briodas! (Geraint, fy mrawd, a Nia gyda Daniel fy nai
yn eistedd ar y bwrdd.)

petaen nhw'n gwirioni oherwydd fod ganddyn nhw lond adeilad o bobl sydd ond yn bur anaml yn tywyllu capel, ac am gymryd mantais o'r ffaith i glywed eu lleisiau eu hunain, i fynd mlaen a mlaen am rywbeth sydd a wnelo fo ddim â'r briodas. Dyna pryd mae pawb yn dechrau mynd yn annifyr, traed yn shyfflan, ugeiniau yn pesychu, penolau yn dechrau brifo, plant bach yn dechrau crio, a hud y gwasanaeth wedi ei golli.

Dwi'n gwybod fod ein capeli'n cau, ond nid dyma'r ffordd i fynd ati i'w hachub. Wedi dod i ddathlu priodas mae pawb, nid i gael pregeth wedi ei stwffio i lawr eu cyrn gyddfau.

Ond o leia mae 'na gyfle yn y brecwast priodas i gyfeirio yn benodol at y pâr priod, ac i ddymuno'n dda iddynt.

Tydi hynny ddim yn digwydd mewn angladdau fel arfer. Dim ond yn y capel neu'r eglwys y daw'r cyfle i dalu teyrnged i'r person sydd newydd farw. Wedi dod i gofio cyfaill neu berthynas mae pawb, ac mae teimladau'n fregus. Dyw angladdau ddim yn achlysuron hawdd i neb, does 'na neb isio mynd iddyn nhw, yn enwedig os oedd y person hwnnw wedi marw yn frawychus o ifanc. Ond mi rydan ni'n mynd er parch at y person rydan ni newydd ei golli, a'r bobl oedd agosaf atyn nhw. Dyma'r cyfle olaf i 'ddathlu' eu bywydau. Rydan ni isio cyd-gofio sut bobl oedden nhw, yr hyn wnaethon nhw, yr hyn ddywedon nhw, yr hyn oedd yn eu gwneud yn bobl arbennig. Felly nid oes angen traddodi

pregeth amherthnasol ar draul hynny. Cydym-
deimlad sydd ei angen, a cheisio cynorthwyo pobl i
ddod dros y golled.

A dyna, i mi, ydi un o ddibenion mwyaf crefydd:
i'n cynorthwyo i feddwl am bobl eraill yn lle ni ein
hunain.

35

Dwi'n hogan pictiwrs, wastad wedi bod. Rhowch i
mi ffilm dda, a dwi fel hwch mewn siocled.

Er mai peth bach o'n i, dwi'n cofio'r siom o
glywed eu bod nhw'n cau pictiwrs Dolgellau, i
wneud gorsaf heddlu o bob dim. Celloedd lle bu
cyrtens melfed coch, PCs lle bu *popcorn*. Tywyn
oedd y pictiwrs agosaf wedyn, rhyw 24 milltir i
ffwrdd, a fan'no fydden ni'n mynd bron bob nos
Sul am flynyddoedd. Dwi'n cofio tantro nes i Mam
gytuno i fynd â fi a Wendy Jones i weld *Jaws*, a
chyrraedd yn y glaw, i weld fod y drysau ynghau.
Doedd o ddim ymlaen y noson honno. Ddeudodd
Mam 'run gair allan o'i phen yr holl ffordd adre.
Strancio wedyn (ro'n i'n rêl hen sopen fach yn fy
arddegau) nes i Dad fynd â ni i weld *Carrie*.
Camgymeriad. Tydi hi ddim yn ffilm i chi ei gweld
yng nghwmni eich tad. Ond anghofia i fyth y sioc o
weld y llaw 'na'n codi o'r bedd ar y diwedd. Dwi'n
siŵr mod i wedi neidio droedfeddi allan o'm sedd.
Roedd 'na olwg reit welw ar Nhad hefyd.

Mi fues i'n pictiwrs Corwen ryw dro hefyd, i weld *Gone with the Wind*. Mi fydda i'n mwynhau ffilm sy'n gwneud i mi grio (mi wnes i hyd yn oed grio wrth wylio *Pobol y Cwm* unwaith) ond roedd hyn yn hurt. Mi fues i'n crio gymaint, mi wnes i ddechrau goranadlu (y term cywir am 'hyperventiletio' yn ôl Bruce) ac igian a gwneud y sŵn rhyfedda, drodd wedyn yn giglan di-reolaeth wrth gwrs. Mi ges i goblyn o row gan yr *usherette* a chael bygwth fy nhaflu allan. Dwi wedi gweld y ffilm droeon ers hynny a dwi'n crio fel babi bob tro.

Ond mae'n bosib mai *Kramer v Kramer* sy'n mynd â hi yn y busnes crio bwcedi. Pictiwrs Tywyn: Llinos fy chwaer, Gwawr fy nghnither a minnau, a dim ond un hances bapur rhyngom ni. Dwi'n cofio'r ffilm yn gorffen a'r goleuadau'n dod mlaen, a'r tair ohonom a'n pennau dan y seddi, gan fod 'na ffasiwn olwg arnon ni. Doedden nhw heb ddechrau gwerthu mascara dal dŵr bryd hynny. Ond roedd crio fel'na yn brofiad anhygoel. 'Dach chi'n gwbod mai ffilm ydi o, nid bywyd go iawn, ond mae'r sgrin yn ein llyncu a 'dach chi'n cael eich cludo i fyd arall. Efallai fod 'na gwpwl yn caru'n slyrpiog drws nesa i chi, a hen ferched yn crensian *Everton Mints* y tu ôl i chi, ond 'dach chi ddim yn sylwi; dim ond yr hyn sydd ar y sgrin sy'n bwysig. Dyna be 'di arwydd o ffilm sydd wedi llwyddo.

Mi es i â nhair nith i weld *Gladiator* yn ddiweddar. Mi fuon ni i gyd yn y lle chwech am oes ar ei hôl hi, yn chwythu'n trwynau nes roedden nhw'n brifo. Mi fuon nhw'n diolch i mi yr holl ffordd adre. 'A dyn fel yna fysa'n dy siwtio di, ynde Anti Bethan?' meddai un. Milwr Rhufeinig? Ie, wel . . . dwi wastad wedi teimlo mod i wedi ngeni fymryn yn rhy hwyr.

Ro'n i wedi clywed am *Cinema Paradiso* ers iddi ennill Oscar am y ffilm dramor orau 'nôl yn 1989. Roedd pawb yn canmol ond, am ryw reswm, lwyddes i 'rioed i'w gweld hi. Mae hyn yn digwydd yn aml, yn enwedig a finna'n byw yn Rhydymain, filltiroedd o Theatr Gwynedd a'r Plaza. Mae Theatr Ardudwy'n goblyn o siwrne hefyd.

Ond peth peryg ydi gorganmol. Ar ôl yr holl ffŷs, mi ges i weld *The Blair Witch Project* o'r diwedd, a disgwyl pethau mawr. Ond am siom. Nath hi'm byd i mi. Felly ro'n i braidd yn nerfus pan ges i fenthyg copi fideo o *Cinema Paradiso*. Ond ar ôl mynd trwy lond bocs o *Kleenex*, a'i gwylio yr eildro y bore wedyn, mi fedra i ddeud yn gwbl onest mod i wedi mwynhau hon, bois bach.

Mi ddywedodd Barry Norman ei bod hi'n '*delightful*'. Hen air dim byd. Ond dwi'n gweld be sydd gynno fo. Mae'n un o'r ffilmiau twyllodrus o syml 'ma, sy'n rhoi rhywbeth arbennig i chi. Dim *special effects*, dim rasio ceir na ffustio, na gormod o bwdin rhywiol, dim ond mwyniant pur. Nid crio oherwydd ei bod hi'n drist wnes i, ond oherwydd ei bod hi'n creu cymaint o lobsgows o emosiynau, sy'n mudferwi'n gynnes i ddechrau, cynyddu hyd at ferwi go iawn ac yn eich gadael chi'n deud yn uchel

'Am fendigedig'. Ac yn eich atgoffa o hen bictiwrs Dolgellau, neu unrhyw dre fechan arall sydd wedi colli ei Phlaza i'r teledu a'r fideo. Eironi'r peth ydi mai ar fideo y gwelais i hi.

Dim ond gobeithio na fydda i wedi canmol gormod er lles unrhyw ddarllenwyr sydd heb ei gweld hi.

36

Felly mae 'na ferch bymtheg oed isio brestiau mwy ac yn ysu am fynd dan y gyllell i'w cael nhw. Mi welais i gyfweliad byr efo hi ar y newyddion, a gwaredu. Ei rheswm, meddai hi, dros fod eisiau cwpan go fawr oedd er mwyn bod yn enwog. Ond enwog am be ngenath i? Dyna ddangos pa mor hurt mae pethau wedi mynd; tydi dawn ddim yn bwysig bellach. Doedd 'na ddim sôn am wario ar fynd i goleg na chael ei hyfforddi i fod yn actores/cantores/model/ be bynnag sy'n apelio ati (a dwi'n cymryd mai gyrfa o'r math yna mae hi'n ei ddeisyfu – prin ei bod hi am wneud ei marc ar y trac athletau); na, yn ei thyb hi, byddai cael bronnau fel bryniau Eryri yn ddigon. Mae isio gras. A ph'run bynnag, tydi'r hogan ddim wedi gorffen tyfu eto nacydi? Ond mae ei mam yn fwy na bodlon talu miloedd am y driniaeth, ac mi roedd y llawfeddyg yn berffaith fodlon hogi ei gyllyll ar ei phen-blwydd yn un ar bymtheg, nes i'r wasg gael gafael yn y stori. Mae o'n sôn am aros nes y bydd hi'n ddeunaw rŵan.

Mi fedra i faddau i ferch yn ei harddegau am gael syniadau hurt; mae'n oed rhemp, a bron pob merch yn mynd trwy rywfaint o angst am y ffordd mae'n edrych. Ond gan fod ei mam eisoes wedi stwffio bagiau silicon i mewn i'w bronnau, mae'n anodd iawn iddi hi drio argyhoeddi ei merch fod 'na bethau llawer pwysicach mewn bywyd, ac i fodloni ar fod yn fflat. A gan fod cymaint o *starlets* o gwmpas y lle, sy'n enwog am fawr ddim ond eu bronnau, mae'n anodd rhesymu efo hi ar y pwynt 'enwogrwydd' hefyd. A maen nhw'n trio deud mai hwyl diniwed ydi trydydd tudalen y *Sun* . . .

Fel merch â chwpan go hael, dwi'n cael trafferth deall pam fod cymaint o ferched yn ysu am fronnau mwy yn y lle cynta. Tydyn nhw ddim yn hwyl i gyd, wyddoch chi. A bod yn gwbl onest, yn y byd sydd ohoni, maen nhw'n fwy o drafferth nag o werth. Maen nhw'n denu pob meddwyn hyll a ffiaidd yn y stafell ac mae'r hogia clên wastad yn mynd am y genod llai (oherwydd y gred : bronnau = bimbo am wn i); mae'n anodd cael dillad i ffitio'n iawn, ac mae bras digon cry yn costio ffortiwn, a hyd yn oed wedyn, maen nhw'n gallu bod yn annifyr. Mae'n gwneud rhedeg yn orchwyl anodd ar y naw, ac os ydach chi'n fwy na chwpan 'C', does na ddim un bra all eich rhwystro rhag bownsio. Anghofia i fyth fy athrawes chwaraeon yn gwneud i mi redeg y can

142

metr olaf yn y ras gyfnewid pan o'n i tua phymtheg oed. Ro'n i wedi bod reit hapus yn gwneud y trydydd cymal, gan eich bod chi'n ddigon pell o olwg pawb yn fan'no, ond mae rhedeg yn bedwerydd yn golygu bownsio reit o flaen pawb, yn cynnwys yr athrawon a bechgyn y bumed flwyddyn. Felly wnes i ddim rhedeg hanner mor gyflym ag arfer, a ges i row gan fy nhîm a'r athrawes. A chael fy ngalw'n 'Boing-boing' am wythnosau wedyn beth bynnag.

Ond wnes i ddim mynnu mynd dan y gyllell! 'Dach chi'n dysgu ymdopi: mae rhai merched bronnog yn credu'n gry yn y busnes '*if you've got it, flaunt it,*' ond mae'r rhan fwya (sy'n naturiol fronnog) yn llwyr osgoi hynny. 'Dach chi'n taflu eich crysau-T tyn, prynu llwyth o bethau efo gyddfau siap 'V', ddim hyd yn oed yn sbio ar *boob tubes*, ac yn rhoi llond pen i unrhyw foi sy'n sbio ar eich bronnau yn lle i fyw eich llygaid a gwrando ar yr hyn 'dach chi'n ddeud. A 'dach chi ddim yn mynd yn fronnoeth ar y traeth.

Dwi wedi dysgu byw efo nhw, a phob rhan arall ohona i. Does 'na neb yn berffaith, a phwy sy'n penderfynu be sy'n berffaith neu normal beth bynnag? Mae'n gas gen i'r syniad o bawb yn mynd dan y gyllell er mwyn edrych yr un fath â phawb arall. Tase rhywbeth yn wirioneddol boenus neu ddiolwg, iawn, mae hynny'n fater gwahanol, ond mae 'na ormod o bobl yn beio'r ffordd maen nhw'n edrych am ddiffygion yn eu bywydau. Mi nath Dudley Moore a Norman Wisdom ddelio efo'u diffyg taldra drwy fod yn ddigri. Mae trwyn Barbra Streisand yn fawr ond mae'n rhan ohoni ac yn brawf o'r gyts sydd gan y ddynes. Os oes ganddoch chi lais fel yna, does 'na neb yn sylwi ar eich trwyn chi beth bynnag.

A faint o bobl sydd wedi cael triniaeth o'r math yma sy'n hapus wedyn, tybed? Mae'r rhan fwya'n mynd yn jôc tydyn. Ond dwi'n derbyn fod 'na ffordd arall o sbio ar y mater: ydw, dwi'n gwisgo colur weithiau, clustdlysau yn ddyddiol, a lliwio ngwallt yn rheolaidd. Be ydi'r gwahaniaeth yn y bôn? Dwi ddim yn siŵr, a bod yn onest. Ond maen nhw dipyn rhatach, mwy diogel, ac yn hawdd eu newid. Ac mae pawb arall yn ei wneud o . . . a dyna sy'n dychryn rhywun. Roedd cael tyllau yn eich clustiau yn beth gwrthun ers talwm. Fydd cael llawdriniaeth am fronnau mwy/llai yn mynd yn beth yr un mor gyffredin?

Dwi'n cofio mynd i Buenos Aires ddeng mlynedd yn ôl, a synnu fod yno gymaint o ferched mor anhygoel o denau a phrydferth, nes deall fod mynd dan y gyllell yn beth hynod gyffredin yno. Doedden nhw ddim mor dlws wedyn. Ond eto . . . ai dim ond fy rhagfarn – a nghenfigen – i oedd yn dweud hynny?

Ond er gwaetha'r dryswch, mae gen i gyngor i'r ferch bymtheg oed – yli, mae 'na ffasiwn beth a *Wonderbra* rŵan. Sticia at hwnnw nes y byddi di wedi aeddfedu 'chydig, a gweld sut mae'r bronnau mwy wedi effeithio ar fywyd dy fam. O leia maen nhw'n gneud *Wonderbras* yn dy seis di.

37

Dwi'n sgwennu hwn efo pecyn o bys wedi'u rhewi
ar fy mhen-glin. Byddai beiro yn haws mae'n siŵr,
ond dyna fo. Mae 'na saeth fawr ddu ar fy nghoes
hefyd, er gwaetha'r holl sgwrio dwi wedi bod yn
gneud arno. Mae'n pwyntio at fy mhen-glin ers
ddoe, pan ges i lawdriniaeth yn Ysbyty Gobowen.
Ges i ddiwrnod digon difyr yno, er mod i allan
ohoni yn llwyr am ei hanner o. Ges i un o'r pethau
arthroscopy 'ma, 'dach chi'n gweld, pan maen
nhw'n gwneud dau dwll bach taclus yn eich pen-
glin er mwyn stwffio camera bach i mewn. Wedyn
'dach chi'n dod adre efo pen-glin fel melon a llond
llaw o blastars mawr, mawr.

Dwi'n gwella'n rhyfeddol o sydyn; ro'n i'n gallu
cerdded yn syth, os yn herciog. Ond dim ond sbio
oedden nhw tro 'ma, er mwyn gweld sut lanast sy
'na ar gyfer y Driniaeth Fawr nes ymlaen. Ro'n i'n
gwybod hyn, felly do'n i ddim yn rhy nerfus, a dwi
wedi cael *arthroscopy* o'r blaen. Ond roedd hynny
naw mlynedd yn ôl, a dwi ddim wedi bod mewn
ysbyty ers hynny. Buan mae rhywun yn anghofio.

O ystyried yr holl ddramâu teledu mewn ysbytai,
mi fyddech chi'n disgwyl i bob dim fod yn
gyfarwydd, ond unwaith 'dach chi mewn, mae o fel
bod ar blaned arall. I ddechrau cychwyn, maen
nhw'n deud wrthach chi am beidio bwyta nac yfed
ar ôl hanner nos y noson cyn y driniaeth, felly 'dach
chi heb gael eich paned foreol arferol ac mae'r corff

yn gwybod yn syth fod na rywbeth yn wahanol.
Maen nhw'n deud wrthach chi am fod yno am wyth
y bore, felly 'dach chi wedi codi ers chwech. Mae'r
nerfau'n neidio, felly mae eich Mam druan yn cael
ei siarsio i roi ei throed i lawr. Ond roedd hi'n hwyr
oherwydd ei bod hi wedi gorfod rhoi diesel yn y car
yn gynta, ac mae'r stwff glanhau *windscreen* wedi
rhewi, a 'dan ni'n gweld fawr ddim. A dwi wedi
anghofio'r map felly rydan ni'n mynd ar goll. Ond
rydan ni'n dal i siarad efo'n gilydd (jest abowt) wrth
frysio mewn i'r ysbyty. Ond am naw maen nhw'n
dechrau'r triniaethau, a phedwerydd ydw i. (Dwi
'rioed wedi dallt pam fod ysbytai yn gwneud hyn –
rhoi'r un amser i bawb? Ddalltes i 'rioed y *logic*.
Meddyliwch tasen nhw'n gwneud hyn yn y syrjeri
neu'r ddeintyddfa. A be ydi'r gwahaniaeth yn y
bôn?)

Ta waeth. Mae'r nyrs yn dangos fy ngwely i mi, a
diflannu. Dwi'n sefyll yna fel bwch am 'chydig,
cyn penderfynu eistedd. Mae 'na lwmp dan y dillad,
a dwi'n dod o hyd i un o'r pethau coban di- ben-ôl
'na. Mae'r ddynes drws nesa yn gwenu arna i:
*'There should be a pair of paper knickers there as
well, love.'* A dyna pryd dwi'n cofio am realiti bod
mewn ysbyty. Dwi'n mynd i'r lle chwech i newid, a
chael trafferth clymu fy hun i mewn i'r goban. Onid
ydi hi'n bryd iddyn nhw feddwl am wisg gallach,
haws i berson ei gwisgo ar ei ben ei hun, 'dwch?
Mae'n beryg i chi grogi'ch hun. A dwi'n diolch i'r
nefoedd mod i wedi cofio dod â chot godi efo fi.

'Nôl â fi, ac mae pawb arall yn cael paned. Ond mae 'na arwydd mawr NBM (*nil by mouth*) uwch ben fy ngwely i. Dim bwys, fydda i adre erbyn cinio. A dwi'n cnoi gwm – ac mae'r lleill yn deud ga i row gan y nyrsus.

Dwi'n dechrau pori drwy gylchgronau, gan mod i heb drafferthu dod â nofel efo fi. Dim pwynt, os fydda i adre erbyn cinio. A mae 'na gant a mil o ffurflenni i'w llenwi a'u harwyddo, a nyrsus yn fy labelu efo tag ar fy ngarddwrn ac un arall ar fy ffêr. (Pam? Rhag ofn iddyn nhw golli mraich i?) Mae un yn holi am gyfeiriad fy *next of kin* a dwi'n dechrau sillafu G-W-A – ond mae'n ysgwyd ei phen – un o'r enwau Cymraeg amhosib 'ma? Mi wnaiff rhif ffôn y tro. A dyna pryd dwi'n sylweddoli mod i'n Lloegr. Wedyn maen nhw'n rhoi'r saeth 'ma ar fy nghoes i efo ffelt pen fawr ddu. A dwi'n dechrau sgwrsio efo'r pum dynes arall sydd yn y gwelyau o nghwmpas i. Mae 'na un yn ochneidio mewn poen am oes, nes i'r nyrs ddeud na chaiff hi fynd adre heddiw os ydi hi'n dal i deimlo'n giami. Mae hi'n cau ei cheg wedyn, a gwenu'n ddel. A dechrau gwisgo colur. Mae hi'n benderfynol o fynd adre heddiw, doed a ddelo.

Maen nhw'n dod â chinio i bawb, ac mae'n ogleuo'n fendigedig. Dwi'n rhoi fy mhen dan y cwrlid. Mae 'na rywun yn dod â phapurau newydd heddiw i'w gwerthu, ond does 'na ddim *Daily Post* ac mae'n sbio'n hurt arna i pan dwi'n gofyn am y *Western Mail* 'ta. Na, dim ond y stwff Prydeinig neu'r *Shropshire Star* sy fan hyn. A *BBC Radio Shropshire*, neu Radio 1 wrth gwrs.

Ganol pnawn, mae 'na ddau foi mewn dillad glas yn dod amdana i. 'Yeees!' medda fi, a'r ddau'n sbio'n wirion. Tydyn nhw ddim wedi arfer cael croeso fel'na. Ia, ond dwi'n hogan brysur. Dwi'n cael fy ngwthio yn fy ngwely ar hyd y cyntedd mawr drafftiog, a dynes y troli paned yn gwneud lle i mi fynd drwadd. Dwi'n teimlo'n bwysig a dwi'n dechrau chwerthin. Lifft, cyntedd arall, a dwi mewn stafell gynnes, liwgar. Dwi'n dringo ar wely caled, cul arall. Maen nhw'n dod â chap cawod hynod ddeniadol i mi a dwi'n teimlo'n hurt. Maen nhw'n gosod rhyw betha crwn arna i a dwi'n gweld y pibelli. Maen nhw'n gneud yn siŵr mai fi ydw i (heb ofyn – jest sbio ar y labeli) ac mae 'na ddyn clên yn rhoi nodwydd yn fy llaw i, tra mae 'na un arall yn rhoi o bach i'r llaw arall. Dwi'n gweld y stwff gwyn yn cael ei bwmpio mewn i mi, a dwi'n dechrau teimlo'n rhyfedd: '*I'm going now*,' medda fi.

A dyna fo. Dwi'n deffro yn yr un lle a dwi'n gwenu'n ddel ar y boi nath roi o bach i fy llaw i. Dwi'n ddagreuol, a dwi'm yn gwybod pam. 'Nôl â fi i'r ward a dwi'n teimlo'n grêt. Dwi'n cael y baned neisia 'rioed, a thôst brown. Wedyn mae 'na *physio* del, tal a thywyll efo acen Awstralaidd yn gofyn i mi wneud pethau fel gwasgu ei law o efo nghoes. Gyda phleser. Mae'n gofalu mod i'n gallu cerdded a dwi'n gofyn os ga i fynd adre rŵan. *No worries*. Ac mae Mam yn cyrraedd wedi i mi newid,

148

wedi cael diwrnod da o siopa yn Amwythig. Mi
fyddan nhw'n dod â swper yn y munud, ac mae
Mam isio i mi aros amdano. Dim ffiars o beryg. Er
fod pawb wedi bod yn hynod glên, dwi isio mynd
adre. Mae'r genod eraill yn deall yn iawn. Tydi
ysbyty ddim yn le i chi oedi ynddo, ac mi fydda i'n
ôl yma hen ddigon buan. A dwi'n dod â fy radio fy
hun efo fi bryd hynny, a *laptop*. A wna i'm swnian
ar Mam i yrru'n gynt ar y ffordd yma chwaith.

38

Mi ges i noson arbennig iawn yn ddiweddar. Roedd
hi'n nos Sadwrn, ac mi ro'n i'n gyrru, ond es i adre
yn teimlo'n union fel taswn i wedi meddwi'n braf.
Do, ges i un gwydraid o win coch, ond paned o de
ges i wedyn.

Ro'n i wedi bod yng nghwmni criw o bobl hynod
ddifyr, criw sydd wedi dod at ei gilydd i drafod llyfrau.
Na, peidiwch â throi'r tudalen, wir yr rŵan, roedd o'n
grêt! Ro'n i wedi bod efo nhw unwaith o'r blaen, toc
cyn 'Dolig, ar noson answyddogol. Bryd hynny,
roedden ni i gyd yn cyfarfod yn nhŷ bwyta Dylanwad
Da, pawb â'i botel win, i gael dips ac ati; wedyn,
ymlaen â ni (a'n poteli efo ni) am dŷ ynghanol y dre,
lle roedd Elen wedi bod wrthi'n brysur yn paratoi
llwyth o bizzas bendigedig. Wrth sglaffio'r rheiny,
roedden ni'n chwarae gêm 'nabod y dyfyniad'.

Roedden ni i gyd wedi cael bob i gracyr, ac yn rheiny roedd 'na ddyfyniad o lyfr. Roedden ni hefyd wedi cael rhestr o deitlau llyfrau ac enwau'r awduron. Y dasg wedyn oedd holi pawb arall be oedd ganddyn nhw er mwyn ceisio paru'r dyfyniadau a'r llyfrau cywir. Ffordd dda o ddod i 'nabod pobl a phrofi eich gwybodaeth lenyddol ar yr un pryd. Ac arwydd o athrawes ysgol uwchradd ifanc, *keen* rywle yn y potes. Ymlaen â ni wedyn am bwdin i dŷ Sian. Ew, roedd o'n hwyl. 'Ia, ia,' meddai un o nghydweithwyr fore trannoeth wrth wrando arna i'n paldareuo am hyn, 'rêl criw dosbarth canol Dolgella 'de!'

Dim ots gen i gael fy labelu, mi es i'r ail gyfarfod. Roedd Sian wedi bod yn y coleg efo bachgen o'r Bermo sydd newydd gyhoeddi cyfrol o straeon byrion yn Saesneg gyda chwmni Parthian Books. *Welsh Boys Too* ydi enw'r gyfrol a John Sam Jones ydi enw'r awdur. Roedden ni i gyd wedi prynu copi wythnosau ymlaen llaw, a phawb (wel, bron iawn) wedi ei ddarllen. Ac roedd Sian wedi gwa'dd John draw i gael ei holi.

Mae'r clawr yn dangos corff dyn a phladur finiog wedi ei gwasgu'n galed yn erbyn y cnawd: i ddynodi bod hwn yn mynd i fod yn llyfr anghyfforddus i'w ddarllen, dybiwn i. Ac mi roedd o. Mae 'na thema reit amlwg i bob stori, a gwrywgydiaeth ydi hwnnw. A'r argol, mae'n bwerus. Mi wnaeth les mawr i mi ei ddarllen, er mwyn deall yn well, a gweld pethau o ogwydd gwahanol. A dyna brofiad pawb oedd yno. Ond mae'r boi 'ma'n gallu sgwennu hefyd. Mae 'na ddarnau bendigedig, a ffordd o ddweud hynod Gymreig, fel y byddech chi'n disgwyl gan foi gafodd ei fagu yn Sir Feirionnydd.

Roedd dod i ganol criw o ddieithriaid fel hyn yn beth dewr iawn i'w wneud, yn enwedig gan nad oedd o wedi gwneud rhywbeth fel hyn erioed o'r blaen. Ond roedden ni i gyd wedi gwirioni efo fo. Mi fuon ni'n ei holi'n dwll am bob dim dan haul. Doedd 'na ddim cyfnodau hir, annifyr o dawelwch tra oedd pobl yn crafu am 'Be fedra i ofyn nesa?' Mi lifodd yr oriau fel y gwin. Ew, 'nes i fwynhau. Ac mi wnaeth yntau hefyd. Tra oedden ni'n ciwio iddo lofnodi ein cyfrolau, mi ofynnes i: 'Wyt ti'n teimlo'n od yn gwneud hyn?' (sef llofnodi llyfrau) ac mi wenodd: 'Dwi dal ddim yn gallu coelio'r peth 'sti!' A doedd Parthian Books methu dallt pam fod 'na archeb mor fawr wedi mynd i Ddolgellau chwaith. Ond mae ganddo fo ffan clyb acw rŵan yndoes.

Tristwch y peth ydi bod dyn mor dalentog yn teimlo ei fod yn gorfod byw dros y ffin – oherwydd ei fod yn hoyw. Yn rhinwedd ei swydd bob dydd yn yr hen Glwyd, mi ofynnodd i ryw swyddog sut roedd y sir honno'n darparu addysg ryw. Mi gafodd ateb llawn. 'A be am bobl hoyw?' gofynnodd wedyn. *'Oh, we don't have that problem in North Wales.'*

Mae ganddon ni dipyn o ffordd i fynd cyn y gallwn ni ein galw'n hunain yn genedl wâr, ddeallus.

Ond byddai darllen y llyfr yma yn gam i'r cyfeiriad iawn. Mi fydd yn anodd, fel y dywedais i eisoes, a dwi'n gwbod y bydd rhai o ddarllenwyr yr *Herald* yn gwaredu mod i wedi sôn am ffasiwn bwnc, ond mae'n hen bryd i ni i gyd agor ein llygaid a derbyn, a cheisio deall. Allwn ni ddim fforddio alltudio pobl fel John Sam Jones, er lles pobl fel fo – a ni ein hunain.

39

Wrth fynd drwy hen bapurach yn ddiweddar, mi ddois ar draws erthygl ddifyr am y ffordd mae'r hen fusnes B&B neu Wely a Brecwast wedi newid. Gan fod y diwydiant yn diodde oherwydd gwyliau rhad dros y môr, mae'n rhaid i'r B&Bwyr gynnig *jacuzzis* yn lle arwyddion '*10p for a bath*'; *muesli* a bara cartref yn lle llond plat o saim; a dylai *antique bed* olygu gwely hyfryd, gwerthfawr, nid hen gronc efo matres fel Eryri. Daeth hyn i gyd â gwên fawr i fy wyneb.

Bu fy Mam yn cadw bobol B&B am flynyddoedd. Mae hi wedi rhoi'r gorau iddi rŵan, gan fod cadw llond cae o garafanwyr yn llawer llai o drafferth, ac roedd hi'n dechrau blino. Haleliwia. Ond ni, ei theulu, oedd yn diodde mewn gwirionedd, fel cannoedd o deuluoedd eraill dros Gymru gyfan. Fe gafodd fy chwaer a minnau ein halltudio i garafán yn y cefn er mwyn gwneud lle i bobl ddiarth. Roedd hi'n garafán

Mam a Nhad.

na fyddai wedi edrych allan o le yn Sain Ffagan, a bob bore, mi fydden ni'n deffro i weld olion arian malwod dros ddillad y gwely. Doedden ni ddim yn cael cymryd bath ar adegau call, fel gyda'r nos, rhag ofn na fyddai yna ddigon o ddŵr i'r bobl ddiarth, ac roedd mynd i'r lle chwech yn codi problemau enfawr. Roedden ni'n deulu o chwech fel roedd hi, ac ar un adeg, gallai Mam stwffio deg arall i mewn. Dim ond un lle chwech oedd ganddon ni am flynyddoedd, ar wahân i'r 'toilet allan' oedd yn oer ac yn aml yn genal ci yn ogystal. Ac wrth gwrs, roedd pawb yn codi i gael brecwast/mynd i weithio/i'r ysgol ar yr un pryd toedden? Lwcus fod yna ddigon o goed o gwmpas y lle, a dau neu dri po na werthwyd yn y mart.

Roedd gweld plateidiau o facwn, ŵy, madarch ffres o'r caeau ac ati yn hedfan heibio ein trwynau, drwadd i'r parlwr, yn artaith. Powlenaid o gornfflêcs oedd yna i ni – 'a pheidiwch â chymryd y llaeth i gyd!' Ond weithiau, os oedden ni'n lwcus, mi fyddai un gwestai yn penderfynu nad oedden nhw isio brecwast llawn wedi'r cwbl, ac fe fydden ni'n cael rhannu ŵy rhwng pedwar, ond gadael y bacwn i Dad, a ffraeo dros y madarch.

Ond, pan fynnodd Mam ein bod ni'n helpu i weini, aeth hi'n ddrwg. Do'n i ddim yn rhy ddiogel ar fy mhlatfforms ar y gorau, ond pan es i â llond hambwrdd o blatiau llawn a thebot trwm o de drwadd un bore, roedd 'na ginc yn y carped, ac mi faglais. Hedfanodd y cwbl drwy'r awyr a glanio ar ganol y bwrdd, a ges i'r sac. Coginio fues i wedyn, a dyna pam mod i cystal am ffrio wyau'n berffaith. Maen nhw'n werth eu gweld, wir yr. Erbyn meddwl, mi ddylwn i gynnwys hynna ar fy CV.

Wedi'r bwydo, rhaid oedd glanhau ar eu holau. Dystio, hwfro a stripio gwelyau a dod o hyd i'r pethau rhyfedda – a'i ddim i fanylu. Aeth Mam i stripio gwely pan oedd hi ar frys i fynd i'r dre un tro, a chau'r drws eto reit handi. Doedden nhw ddim wedi gorffen efo'r gwely.

Dro arall, daeth fy chwaer o hyd i focs o siocled wrth erchwyn y gwely – a stwffio'i hun cyn i neb arall gael gwybod amdano. Daeth lawr grisiau yn edrych yn welw iawn. Doedd hi ddim wedi mwynhau y siocled o gwbl, a dangosodd y bocs i mi – *Good Boy Drops – canine treats.*'

Rhoddwyd y gorau i gadw pobl yn 'Room 1', gan fod ein cwpwrdd êrio yno, a'n dillad gorau'n diflannu. Mae 'na bobol ewn yn y byd 'ma wchi, ac os welwch chi rywun mewn smoc goch Anthony Sheppard rywbryd – fi pia hi.

Ond mi gawson ni hwyl hefyd, a dod i nabod bobl ddifyr o bob cwr o'r byd. Mi fues i'n sgwennu at Mary o Doronto am flynyddoedd, a bu Mam draw i'r Iseldiroedd am wyliau efo teulu fu'n dod i aros atom ni'n rheolaidd. Ges i ymarfer fy Ffrangeg, ac anghofia i fyth y tro y bu teulu o Baris yn ceisio egluro mai ŵy wedi'i ferwi roedden nhw isio. Es i'n reit embarasd o glywed *oeuf à la coque* am y tro cyntaf erioed.

A dyna i chi'r tro pan fu farw dyn yn 'Room 2' . . . ond stori arall ydi honno.

40

Mi welais inna Anne Robinson ar *Room 101*. Ond ro'n i, fel pawb arall, yn barod amdani. Roedden ni'n gwybod fwy neu lai be roedd hi wedi ei ddeud yn barod, diolch i'r Wasg. Felly pan welais i'r sioe, doeddwn i ddim wedi fy nghythruddo gymaint ag y byddwn i pe bai o'n annisgwyl. Ro'n i'n gwylio mewn ffordd wahanol – yn ei gwylio hi fel barcud o'r dechrau i'r diwedd. Mae hi mor hyderus ar *The Weakest Link*; hawdd bod felly pan mae'r cwestiynau – a'r atebion – o'ch blaen chi. Ond roedd hi'n nerfus tro 'ma. Roedd hi'n lobsgows o ddynes, jest â drysu isio i Paul Merton a'r gynulleidfa ei hoffi hi, ond yn ceisio rhoi'r 'act' gas ymlaen bob hyn a hyn. A doedd o ddim yn gweithio. Tynnu arno fo a'i siaced yn syth, er mwyn gosod ei stamp, yna chwerthin yn annaturiol o uchel pan gafodd hi un, dau a thri yn ôl, ac yn well, ganddo fo ynglŷn â'i sgidiau hi. Cyffwrdd ei sgidiau yn syth er mwyn sicrhau ei hun eu bod nhw'n iawn, ac ategu eu bod nhw'n ddrud – yn ddrud iawn. (Be ydi o ynglŷn â merched sy'n byw yn Llundain? Mae ganddyn nhw i gyd obsesiwn ynglŷn â sgidiau. Erbyn meddwl, mae Efrog Newydd yr un fath os ydi *Sex and the City* yn adlewyrchiad teg o fywyd merched fan'no. O, efallai ei fod yn beth ffasiynol i fod ag obsesiwn am sgidiau. Hm. Esgusodwch fi tra dwi'n dylyfu gên.)

Ta waeth, Ms Robinson . . . ro'n i'n eitha hoffi'r ddynes – tan y perfformiad yna. Dwi wedi colli pob owns o barch ati bellach, nid yn unig oherwydd ei 'chasineb' at bobl sy'n siarad iaith wahanol, a'i diffyg gwreiddioldeb (mae tynnu ar y Cymry hefyd *de rigeur* yn Llundain, fe ymddengys), ond oherwydd iddi roi perfformiad mor bathetig,

156

adawodd i ni weld nad ydi hi'n berson difyr o gwbl. Doedd hi ddim yn haeddu hanner y sylw mae hi wedi ei gael. A doedd Paul Merton yn amlwg ddim yn rhy hoff ohoni chwaith. Felly, i mi, hi aeth i mewn i'r pydew yn y pen draw.

Ond mae'r ymateb gan y cyhoedd wedi bod yn anhygoel. Dyna i chi be ydi pŵer rhaglennni teledu. Mae angen i gynhyrchwyr fod yn ofalus tu hwnt y dyddiau yma, ystyried pob gair, pob perfformiad, yn ofalus. Ac mi hoffwn i wneud cwyn fan hyn am un o raglenni S4C. Ond mi adrodda i'r stori i chi'n gynta:

Mae fy nai pedair oed, Daniel, yn hogyn bach annwyl, difyr, yn chwa o awyr iach bob amser. Ond yn ddiweddar, digwyddodd rhywbeth anffodus. Daeth ei fam, Llinos, o'r gegin efo'i phaned i weld Daniel yn 'jiglan' mewn ffordd ryfedd ar y soffa.

'Be ti'n 'neud, Dan?'

'Gynno fi *goldfish* lawr trôns fi.'

Edrychiad od gan y fam. Am be roedd yr hogyn yn rwdlan? Mae gan Daniel ddychymyg byw. Ond roedd y jiglan yn cynyddu.

'Dan?'

Archwiliwyd y trôns, ac yno roedd y pysgodyn aur, yn dal yn fyw, drwy ryw ryfedd wyrth, ond wedi colli ei gynffon. Roedd hwnnw'n sownd yng nghoes Daniel. Bu'r pysgodyn druan yn dal i ryw fath o nofio am ddyddiau wedi'r digwyddiad, ond bellach mae o wedi ei gladdu yng ngwaelod yr ardd. Mae'r teulu mewn galar, ac mi roedd rhieni Daniel wedi dechrau poeni be roedden nhw wedi ei fagu. Nes i Llinos gofio'n sydyn am un o raglenni S4C, rhaglen sydd i fod yn adloniant teuluol: *Noson Lawen*. Mae'n debyg i Daniel fwynhau eitem am griw o fechgyn yn canu am bysgodyn aur – o'r enw Wili. A dyma'r geiniog yn disgyn.

Felly, os gwelwch yn dda, gynhyrchwyr *Noson Lawen*, ystyriwch yn ofalus cyn darlledu pethau o'r fath. Diolch.

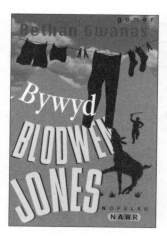